2 학년이 꼭 ~~~~야 한 수와 연산

2 학년이 꼭✓ 알아야 할

수와 연산

이 책의 구성과 특징

① 1학년부터 6학년까지 각 학년별로 나오는 수와 연산 부분을 강화하여 학교 수업에 자신감을 쌓을 수 있도록 하였습니다.

② 수학의 기초인 수와 연산을 이해하여 빠르고 정확한 계산 능력을 얻을 수 있도록 하였습니다.

③ 선행 학습을 원하는 학생 누구나 쉽게 공부할 수 있도록 하였습니다.

④ 학기 중 또는 방학 중 단기간에 계산력을 완성할 수 있도록 하였습니다.

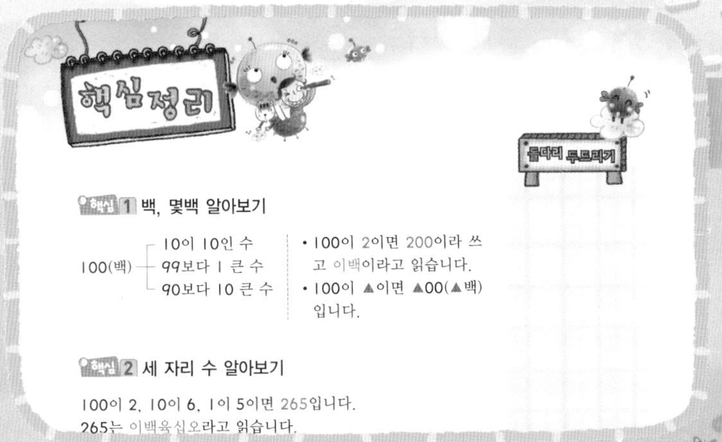
핵심정리

둘다리 두드리기

핵심 1 백, 몇백 알아보기

100(백) — 10이 10인 수 / 99보다 1 큰 수 / 90보다 10 큰 수

- 100이 2이면 200이라 쓰고 이백이라고 읽습니다.
- 100이 ▲이면 ▲00(▲백)입니다.

핵심 2 세 자리 수 알아보기

100이 2, 10이 6, 1이 5이면 265입니다.
265는 이백육십오라고 읽습니다.

핵심정리

단원에서 꼭 알아야할 기본적인 개념과 원리를 요약 정리하였습니다.

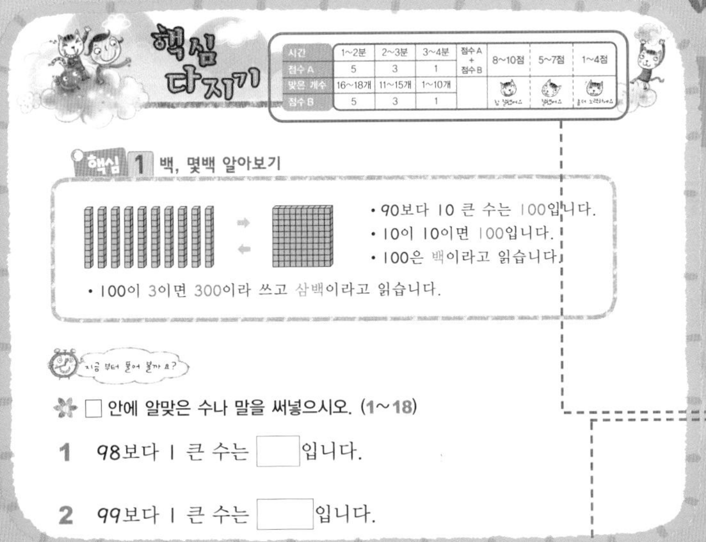
핵심 다지기

시간	1~2분	2~3분	3~4분	점수 A + 점수 B	8~10점	5~7점	1~4점
점수 A	5	3	1				
맞은 개수	16~18개	11~15개	1~10개				
점수 B	5	3	1				

핵심 1 백, 몇백 알아보기

- 90보다 10 큰 수는 100입니다.
- 10이 10이면 100입니다.
- 100은 백이라고 읽습니다.
- 100이 3이면 300이라 쓰고 삼백이라고 읽습니다.

지금부터 풀어 볼까요?

□ 안에 알맞은 수나 말을 써넣으시오. (1~18)

1 98보다 1 큰 수는 □입니다.

2 99보다 1 큰 수는 □입니다.

핵심 다지기

핵심 내용을 주제별로 세분화하여 정리한 후 유형 문제를 반복 연습하는 문제들로 구성하였습니다.

점수 체크표

문제 푸는 시간과 맞은 개수를 점수화하여 학습의 효과를 높이도록 하였습니다.

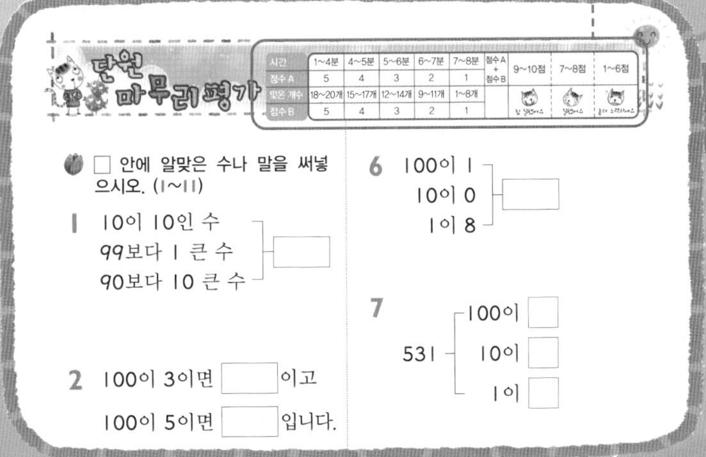
단원 마무리 평가

시간	1~4분	4~5분	5~6분	6~7분	7~8분	점수 A + 점수 B	9~10점	7~8점	1~6점
점수 A	5	4	3	2	1				
맞은 개수	18~20개	15~17개	12~14개	9~11개	1~8개				
점수 B	5	4	3	2	1				

□ 안에 알맞은 수나 말을 써넣으시오. (1~11)

1 10이 10인 수 / 99보다 1 큰 수 / 90보다 10 큰 수 — □

2 100이 3이면 □이고
100이 5이면 □입니다.

6 100이 1 / 10이 0 / 1이 8 — □

7 531 — 100이 □ / 10이 □ / 1이 □

단원 마무리 평가

단원을 마무리하면서 익힌 내용을 평가하여 자신의 실력을 알아볼 수 있도록 구성하였습니다.

Contents
차례

2학년

1 세 자리 수   5

2 두 자리 수의 덧셈   19

3 두 자리 수의 뺄셈   33

4 덧셈과 뺄셈의 관계   47

5 세 수의 계산   61

6 네 자리 수   75

7 곱셈   85

8 곱셈구구   101

세 자리 수

핵심 1 백, 몇백 알아보기

$$100(백) \begin{cases} 10이 \ 10인 \ 수 \\ 99보다 \ 1 \ 큰 \ 수 \\ 90보다 \ 10 \ 큰 \ 수 \end{cases}$$

- 100이 2이면 200이라 쓰고 이백이라고 읽습니다.
- 100이 ▲이면 ▲00(▲백)입니다.

핵심 2 세 자리 수 알아보기

100이 2, 10이 6, 1이 5이면 265입니다.
265는 이백육십오라고 읽습니다.

핵심 3 뛰어세기

- 100씩 뛰어세기는 백의 자리의 숫자가 1씩 커집니다.

500	600	700	800	900

- 10씩 뛰어세기는 십의 자리의 숫자가 1씩 커집니다.

950	960	970	980	990

- 1씩 뛰어세기는 일의 자리의 숫자가 1씩 커집니다.

995	996	997	998	999

- 999 다음의 수는 1000입니다.
- 1000은 천이라고 읽습니다.

핵심 4 수의 크기 비교

① 자릿수가 다른 경우 자릿수가 더 많을수록 큰 수입니다.
 ➡ 98<100
② 자릿수가 같은 경우 백의 자리 숫자가 클수록 큰 수입니다.
 ➡ 234>195
③ 백의 자리 숫자가 같으면 십의 자리 숫자가 클수록 큰 수입니다. ➡ 547<572
④ 백의 자리와 십의 자리 숫자가 같으면 일의 자리 숫자가 클수록 큰 수입니다. ➡ 326>324

시간	1~2분	2~3분	3~4분	점수A + 점수B	8~10점	5~7점	1~4점
점수A	5	3	1				
맞은 개수	16~18개	11~15개	1~10개		참 잘했어요	잘했어요	좀더 노력하세요
점수B	5	3	1				

 **핵심** **1** 백, 몇백 알아보기

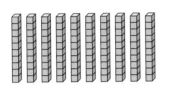 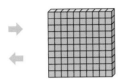

- 90보다 10 큰 수는 100입니다.
- 10이 10이면 100입니다.
- 100은 백이라고 읽습니다.
- 100이 3이면 300이라 쓰고 삼백이라고 읽습니다.

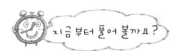 지금 부터 풀어 볼까요?

❋ ☐ 안에 알맞은 수나 말을 써넣으시오. **(1~18)**

1 98보다 1 큰 수는 ☐ 입니다.

2 99보다 1 큰 수는 ☐ 입니다.

3 90보다 10 큰 수는 ☐ 입니다.

4 10개씩 10묶음이면 ☐ 입니다.

5 10이 10이면 ☐ 이라 쓰고 ☐ 이라고 읽습니다.

6 | 30 | 40 | 50 | ☐ | 70 | ☐ | 90 | ☐ |

7 | 93 | 94 | 95 | ☐ | 97 | 98 | ☐ | ☐ |

8 100원짜리 동전이 4개이면 ☐ 원입니다.

9 100원짜리 동전이 6개이면 [ ]원입니다.

10 100원짜리 동전이 8개이면 [ ]원입니다.

11 100이 2이면 [ ]이라 쓰고 [ ]이라고 읽습니다.

12 100이 5이면 [ ]이라 쓰고 [ ]이라고 읽습니다.

13 100이 7이면 [ ]이라 쓰고 [ ]이라고 읽습니다.

14 100이 9이면 [ ]이라 쓰고 [ ]이라고 읽습니다.

15 300은 100이 [ ]인 수입니다.

16 800은 100이 [ ]인 수입니다.

17 사백보다 100 큰 수는 [ ]이고, 칠백보다 100 작은 수는 [ ]입니다.

18 이백보다 100 큰 수는 [ ]이고, 육백보다 100 작은 수는 [ ]입니다.

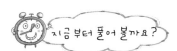 **2-1** 세 자리 수 알아보기

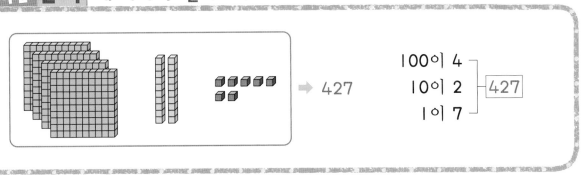

➡ 427

```
100이 4 ┐
10이 2 ├ 427
1이 7 ┘
```

지금부터 풀어 볼까요?

1
```
100이 2 ┐
10이 3 ├ □
1이 5 ┘
```

2
```
100이 3 ┐
10이 2 ├ □
1이 9 ┘
```

3
```
100이 4 ┐
10이 1 ├ □
1이 7 ┘
```

4
```
100이 5 ┐
10이 6 ├ □
1이 2 ┘
```

5
```
100이 6 ┐
10이 6 ├ □
1이 3 ┘
```

6
```
100이 7 ┐
10이 4 ├ □
1이 9 ┘
```

7
```
100이 8 ┐
10이 2 ├ □
1이 1 ┘
```

8
```
100이 9 ┐
10이 0 ├ □
1이 8 ┘
```

9

132 ─┬─ 100이 ☐
　　　├─ 10이 ☐
　　　└─ 1이 ☐

10

295 ─┬─ 100이 ☐
　　　├─ 10이 ☐
　　　└─ 1이 ☐

11

371 ─┬─ 100이 ☐
　　　├─ 10이 ☐
　　　└─ 1이 ☐

12

428 ─┬─ 100이 ☐
　　　├─ 10이 ☐
　　　└─ 1이 ☐

13

564 ─┬─ 100이 ☐
　　　├─ 10이 ☐
　　　└─ 1이 ☐

14

637 ─┬─ 100이 ☐
　　　├─ 10이 ☐
　　　└─ 1이 ☐

15

706 ─┬─ 100이 ☐
　　　├─ 10이 ☐
　　　└─ 1이 ☐

16

838 ─┬─ 100이 ☐
　　　├─ 10이 ☐
　　　└─ 1이 ☐

17

978 ─┬─ 100이 ☐
　　　├─ 10이 ☐
　　　└─ 1이 ☐

18

960 ─┬─ 100이 ☐
　　　├─ 10이 ☐
　　　└─ 1이 ☐

핵심 2-2 자릿값 알아보기

백의 자리	십의 자리	일의 자리
3	6	5
3	0	0
	6	0
		5

365에서
백의 자리의 숫자 3은 [300]
십의 자리의 숫자 6은 [60] 를
일의 자리의 숫자 5는 [5]
나타냅니다.

지금부터 풀어 볼까요?

❇ ☐ 안에 알맞게 써넣으시오. (1~8)

1

267에서

┌ 백의 자리의 숫자 2는 [   ]
│ 십의 자리의 숫자 6은 [   ] 을 나타냅니다.
└ 일의 자리의 숫자 7은 [   ]

2

539에서

┌ 백의 자리의 숫자 5는 [   ]
│ 십의 자리의 숫자 3은 [   ] 를 나타냅니다.
└ 일의 자리의 숫자 9는 [   ]

3

874에서

┌ 백의 자리의 숫자 8은 [   ]
│ 십의 자리의 숫자 7은 [   ] 를 나타냅니다.
└ 일의 자리의 숫자 4는 [   ]

4

145에서

┌ 1은 □ 의 자리의 숫자이고, □ 을 나타냅니다.
│ 4는 □ 의 자리의 숫자이고, □ 을 나타냅니다.
└ 5는 □ 의 자리의 숫자이고, □ 를 나타냅니다.

5

326에서

┌ 3은 □ 의 자리의 숫자이고, □ 을 나타냅니다.
│ 2는 □ 의 자리의 숫자이고, □ 을 나타냅니다.
└ 6은 □ 의 자리의 숫자이고, □ 을 나타냅니다.

6

584에서

┌ 5는 □ 의 자리의 숫자이고, □ 을 나타냅니다.
│ 8은 □ 의 자리의 숫자이고, □ 을 나타냅니다.
└ 4는 □ 의 자리의 숫자이고, □ 를 나타냅니다.

7

758에서

┌ 7은 □ 의 자리의 숫자이고, □ 을 나타냅니다.
│ 5는 □ 의 자리의 숫자이고, □ 을 나타냅니다.
└ 8은 □ 의 자리의 숫자이고, □ 을 나타냅니다.

8

819에서

┌ 8은 □ 의 자리의 숫자이고, □ 을 나타냅니다.
│ 1은 □ 의 자리의 숫자이고, □ 을 나타냅니다.
└ 9는 □ 의 자리의 숫자이고, □ 를 나타냅니다.

핵심 3 뛰어세기

❊ 100씩 뛰어세기

| 435 |—| 535 |—| 635 |—| 735 |—| 835 |—| 935 |

100씩 뛰어세기는 백의 자리의 숫자가 1씩 커집니다.

❊ 10씩 뛰어세기

| 511 |—| 521 |—| 531 |—| 541 |—| 551 |—| 561 |

10씩 뛰어세기는 십의 자리의 숫자가 1씩 커집니다.

❊ 1씩 뛰어세기

| 994 |—| 995 |—| 996 |—| 997 |—| 998 |—| 999 |

1씩 뛰어세기는 일의 자리의 숫자가 1씩 커집니다.
999보다 1 큰 수는 1000입니다. 1000은 천이라고 읽습니다.

지금 부터 풀어 볼까요?

✿ 100씩 뛰어서 세어 보시오. (1~4)

1 | 200 | 300 | | 500 | | 700 |

2 | 140 | | 340 | | | 640 |

3 | 265 | | 465 | | 665 | |

4 | | 472 | 572 | | 772 | |

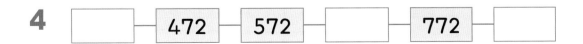

❋ 10씩 뛰어서 세어 보시오. (5~8)

5 | 130 | 140 | | | 170 | |

6 | 340 | | 360 | | 380 | |

7 | 480 | | 500 | | | 530 |

8 | | 583 | | 603 | | 623 |

❋ 1씩 뛰어서 세어 보시오. (9~12)

9 | 241 | | 243 | | 245 | |

10 | 360 | | | 363 | | 365 |

11 | | 588 | 589 | | 591 | |

12 | 995 | | 997 | | 999 | |

시간	1~3분	3~4분	4~5분	점수A + 점수B	8~10점	5~7점	1~4점
점수 A	5	3	1				
맞은 개수	16~18개	11~15개	1~10개		참 잘했어요	잘했어요	좀더 노력하세요
점수 B	5	3	1				

핵심 **4** 수의 크기 비교

✳ 두 수의 크기 비교하기

① 백의 자리 숫자가 다를 때 ➡ 532 > 479
② 백의 자리 숫자가 같을 때 ➡ 439 < 479
③ 백의 자리와 십의 자리 숫자가 같을 때 ➡ 726 > 724

✳ 세 수의 크기 비교하기

	백의 자리	십의 자리	일의 자리
627 ➡	6	2	7
592 ➡	5	9	2
615 ➡	6	1	5

가장 큰 수는 627이고, 가장 작은 수는 592입니다.

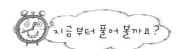

✿ ○ 안에 >, <를 알맞게 써넣으시오. (1~4)

1 326은 275보다 큽니다. ➡ 326 ◯ 275

2 416은 424보다 작습니다. ➡ 416 ◯ 424

3 517은 509보다 큽니다. ➡ 517 ◯ 509

4 627은 629보다 작습니다. ➡ 627 ◯ 629

✿ 알맞은 말에 ○표 하시오. (5~6)

5 | 385 > 289 | ➡ 385는 289보다 (큽니다, 작습니다).

6 | 524 < 572 | ➡ 524는 572보다 (큽니다, 작습니다).

❀ 다음을 >, <를 사용하여 나타내시오. (7~10)

7 635는 754보다 작습니다. ➡ _____

8 539는 526보다 큽니다. ➡ _____

9 439는 442보다 작습니다. ➡ _____

10 736은 734보다 큽니다. ➡ _____

❀ 두 수의 크기를 비교하여 ○ 안에 >, <를 알맞게 써넣으시오. (11~14)

11 300 ◯ 298

12 594 ◯ 603

13 527 ◯ 532

14 635 ◯ 632

❀ 가장 큰 수에 ○표, 가장 작은 수에 △표 하시오. (15~18)

15 384 432 409

16 425 417 428

17 520 527 529

18 293 315 297

시간	1~4분	4~5분	5~6분	6~7분	7~8분	점수 A + 점수 B	9~10점	7~8점	1~6점
점수 A	5	4	3	2	1				
맞은 개수	18~20개	15~17개	12~14개	9~11개	1~8개		참 잘했어요	잘했어요	좀더 노력하세요
점수 B	5	4	3	2	1				

🌷 □ 안에 알맞은 수나 말을 써넣으시오. (1~11)

1 10이 10인 수
99보다 1 큰 수
90보다 10 큰 수

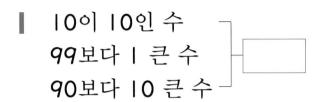

2 100이 3이면 □ 이고
100이 5이면 □ 입니다.

3 400은 □ 이라 읽고
700은 □ 이라 읽습니다.

4 육백은 □ 이라고 쓰고
구백은 □ 이라고 씁니다.

5 100이 7
10이 1
1이 4

6 100이 1
10이 0
1이 8

7 531 ┌ 100이 □
      ├ 10이 □
      └ 1이 □

8 803 ┌ 100이 □
      ├ 10이 □
      └ 1이 □

9 386에서 백의 자리의 숫자 □ 은 □ 을 나타냅니다.

10 855에서 십의 자리의 숫자 □ 는 □ 을 나타냅니다.

11 926에서 일의 자리의 숫자 ☐ 은 ☐ 을 나타냅니다.

🌷 100씩 뛰어서 세어 보시오.

(12~13)

12
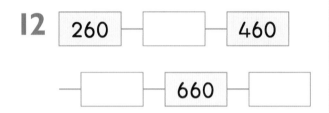

| 260 | | 460 |

| | 660 | |

13
| 136 | 236 | |

| | 436 | | |

🌷 10씩 뛰어서 세어 보시오.

(14~15)

14
| 425 | | |

| | 455 | 465 | |

15
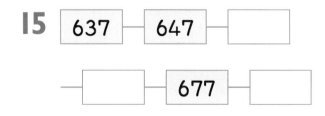

| 637 | 647 | |

| | 677 | |

🌷 1씩 뛰어서 세어 보시오.

(16~17)

16
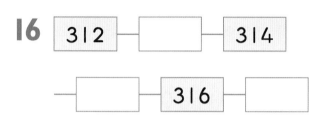

| 312 | | 314 |

| | 316 | |

17
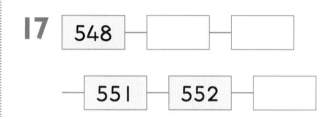

| 548 | | |

| 551 | 552 | |

🌷 두 수의 크기를 비교하여 ○ 안에 >, <를 알맞게 써넣으시오.

(18~19)

18 295 ○ 303

19 523 ○ 519

20 가장 큰 수를 찾아 ☐ 안에 쓰시오.

| 394 | 462 | 439 |

➡ ☐

2

두 자리 수의 덧셈

핵심 1 받아올림이 있는 (두 자리 수)＋(한 자리 수)

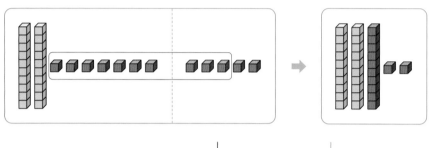

$$
\begin{array}{r} 2\ 7 \\ +\ \ 5 \\ \hline \end{array}
\Rightarrow
\begin{array}{r} {}^{1}2\ 7 \\ +\ \ \ 5 \\ \hline 2 \end{array}
\Rightarrow
\begin{array}{r} {}^{1}2\ 7 \\ +\ \ \ 5 \\ \hline 3\ 2 \end{array}
$$

$\boxed{7+5=12}$ $\boxed{1+2=3}$

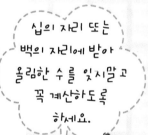

가로셈을 세로셈으로 고쳐 계산할 때에는 각 자리의 수를 잘 맞추어 계산해야 합니다.

$27+5=32$

$$
\begin{array}{r} 27 \\ +\ 5 \\ \hline 77 \end{array}
\qquad
\begin{array}{r} 27 \\ +\ 5 \\ \hline 32 \end{array}
$$

(×)　　　　(○)

- 일의 자리, 십의 자리의 순서로 계산합니다.
- 일의 자리의 수의 합이 10이거나 10보다 크면 십의 자리에 받아올림의 표시로 1을 작게 쓴 후 십의 자리의 수와 받아 올림 한 1을 더하여 십의 자리에 내려 씁니다.

핵심 2 받아올림이 있는 (두 자리 수)＋(두 자리 수)

$$
\begin{array}{r} 4\ 8 \\ +7\ 6 \\ \hline \end{array}
\Rightarrow
\begin{array}{r} {}^{1}4\ 8 \\ +7\ 6 \\ \hline 4 \end{array}
\Rightarrow
\begin{array}{r} {}^{1}4\ 8 \\ +7\ 6 \\ \hline 1\ 2\ 4 \end{array}
$$

$\boxed{8+6=14}$ $\boxed{1+4+7=12}$

- 일의 자리의 수의 합이 10이거나 10보다 크면 십의 자리로 받아올림합니다.
- 십의 자리의 수의 합이 10이거나 10보다 크면 백의 자리로 받아올림합니다.

십의 자리 또는 백의 자리에 받아 올림한 수를 잊지말고 꼭 계산하도록 하세요.

핵심 3 여러 가지 방법으로 덧셈하기

- 64＋19의 계산
  ① 64에 10을 더한 후 9를 더합니다.
  ② 60에 10을 먼저 더하고 4와 9를 더한 후 두 수를 더합니다.
  ③ 64에 6을 먼저 더한 후 13을 더합니다.

시간	1~2분	2~3분	3~4분	점수 A + 점수 B	8~10점	5~7점	1~4점
점수 A	5	3	1				
맞은 개수	15~17개	11~14개	1~10개		참 잘했어요	잘했어요	좀더 노력하세요
점수 B	5	3	1				

핵심 1-1 받아올림이 있는 (두 자리 수)+(한 자리 수)①

```
    4 6          ¹            ¹
  +   8    ➡   4 6    ➡    4 6
              +   8       +   8
              ───────     ───────
                  4         5 4
```

① 6+8=14에서 4를 일의 자리에 쓰고, 10을 받아올림합니다.
② 1+4=5에서 5를 십의 자리에 씁니다.

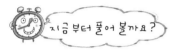

1

```
    2 8        □            □
  +   7   ➡   2 8    ➡    2 8
             +   7       +   7
             ─────       ─────
               □          □ □
```

2

```
      □
    3 4
  +   8
  ─────
   □ □
```

3

```
      □
    4 6
  +   5
  ─────
   □ □
```

4

```
      □
    5 7
  +   4
  ─────
   □ □
```

5

```
      □
      6
  + 2 8
  ─────
   □ □
```

6	2 8 + 3		7	3 5 + 6

8	4 5 + 7		9	5 7 + 6

10	6 9 + 4		11	7 8 + 8

12	8 7 + 8		13	6 2 + 9

14	9 + 1 2		15	4 + 5 9

16	6 + 7 8		17	9 + 8 8

핵심 1-2 받아올림이 있는 (두 자리 수) + (한 자리 수) ②

$$65 + 7 = \boxed{72}$$

$$\begin{array}{r} \overset{1}{6}\ 5 \\ +\quad 7 \\ \hline \boxed{7\ 2} \end{array}$$

- 가로셈은 세로셈으로 고쳐서 일의 자리부터 계산합니다.
- 일의 자리에서 받아올림 한 10은 십의 자리에서 1이 됩니다.

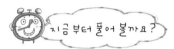
지금부터 풀어 볼까요?

1 $14 + 7 = \boxed{}$

$$\begin{array}{r} 1\ 4 \\ +\quad 7 \\ \hline \end{array}$$

2 $4 + 28 = \boxed{}$

$$\begin{array}{r} 4 \\ +2\ 8 \\ \hline \end{array}$$

3 $36 + 9 =$

4 $43 + 8 =$

5 $59 + 2 =$

6 $67 + 6 =$

7 $77 + 5 =$

8 $89 + 3 =$

9 $2 + 48 =$

10 $3 + 69 =$

핵심 2-1 받아올림이 한 번 있는 (두 자리 수)＋(두 자리 수)

```
  3 9          3│9          │3│9
+ 4 5    ⇒   + 4│5    ⇒   +│4│5
              ──┼──         ──┼──
                │4          │8│4
```

① 9＋5=14에서 4를 일의 자리에 쓰고, 10을 받아올림합니다.
② 1＋3＋4=8에서 8을 십의 자리에 씁니다.

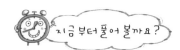 지금부터 풀어 볼까요?

1

```
  1 7          │1│7          │1│7
+ 2 4    ⇒   +│2│4    ⇒   +│2│4
              ──┼──         ──┼──
                │□          │□│□
```

2

```
  3 6
+ 1 5
─────
 □ □
```

3

```
  2 4
+ 2 8
─────
 □ □
```

4

```
  4 8
+ 2 6
─────
 □ □
```

5

```
  1 5
+ 7 9
─────
 □ □
```

6   1 8
     +1 4

7   2 3
     +2 8

8   5 3
     +1 9

9   4 6
     +2 5

10   3 5
     +3 5

11   5 8
     +2 6

12   4 7
     +3 4

13   1 4
     +6 6

14   7 9
     +1 7

15   2 6
     +6 9

16   4 7
     +4 6

17   3 8
     +5 8

핵심 2-2 받아올림이 두 번 있는 (두 자리 수)＋(두 자리 수)

```
  6 8          1              1
+ 5 7    ⇒    6 8     ⇒      6 8
              + 5 7         + 5 7
                  5         1 2 5
```

① 8＋7＝15에서 5를 일의 자리에 쓰고, 10을 받아올림합니다.

② 1＋6＋5＝12에서 2는 십의 자리에 쓰고, 받아올림한 수인 1은 백의 자리에 씁니다.

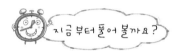

지금 부터 풀어 볼까요?

1

```
  8 7          □            □
+ 3 6    ⇒    8 7     ⇒    8 7
              + 3 6        + 3 6
                  □        □ □ □
```

2

```
  □
  9 6
+ 2 5
□ □ □
```

3

```
  □
  5 4
+ 7 9
□ □ □
```

4

```
  □
  8 3
+ 7 7
□ □ □
```

5

```
  □
  1 8
+ 9 7
□ □ □
```

6　　　5 8
　　　+5 3
　　　─────

7　　　7 5
　　　+2 6
　　　─────

8　　　3 5
　　　+8 5
　　　─────

9　　　2 7
　　　+9 4
　　　─────

10　　8 8
　　　+4 6
　　　─────

11　　7 3
　　　+6 9
　　　─────

12　　6 7
　　　+7 6
　　　─────

13　　5 9
　　　+8 5
　　　─────

14　　5 7
　　　+9 8
　　　─────

15　　7 8
　　　+8 8
　　　─────

16　　8 6
　　　+8 5
　　　─────

17　　9 5
　　　+8 7
　　　─────

핵심 2-3 받아올림이 있는 (두 자리 수)+(두 자리 수)

$$79+53=\boxed{132}$$

$$\begin{array}{r} {}^{1}7\ 9 \\ +\ 5\ 3 \\ \hline 1\ 3\ 2 \end{array}$$

가로셈은 세로셈으로 고쳐서 일의 자리부터 계산합니다.

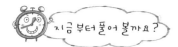

1 $28+14=\boxed{}$

$$\begin{array}{r} 2\ 8 \\ +\ 1\ 4 \\ \hline \end{array}$$

2 $57+69=\boxed{}$

$$\begin{array}{r} 5\ 7 \\ +\ 6\ 9 \\ \hline \end{array}$$

3 $24+38=$

4 $46+15=$

5 $59+37=$

6 $28+69=$

7 $47+56=$

8 $63+47=$

9 $69+52=$

10 $88+79=$

핵심 3 여러 가지 방법으로 덧셈하기

- 56+27의 계산

  〈방법 1〉 56에 20을 먼저 더한 후 7을 더합니다.

  $56+27=56+20+7=76+7=83$

  〈방법 2〉 50에 20을 먼저 더하고 6과 7을 더한 후, 두 수를 더합니다.

  $56+27=50+20+6+7=70+13=83$

  〈방법 3〉 56에 4를 먼저 더한 후 23을 더해줍니다.

  $56+27=56+4+23=60+23=83$

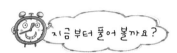
지금 부터 풀어 볼까요?

1 $38 + 25$ ➡ 38에 $\square$ 을 먼저 더한 후 $\square$ 를 더합니다.

$38+\square+5=\square+5=\square$

2 $38 + 25$ ➡ 30에 $\square$ 을 먼저 더하고 8과 $\square$ 를 더한 후 두 수를 더합니다.

$(30+\square)+(\square+5)$

$=\square+\square=\square$

3 $38 + 25$ ➡ 38에 $\square$ 를 먼저 더하고 $\square$ 을 더해줍니다.

2 $\square$ $38+\square+23=\square+23=\square$

4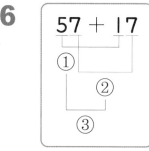
48 + 16

① 48+10= ☐

② ☐ +6= ☐

5 34+28=34+ ☐ +8

= ☐ +8

= ☐

6
57 + 17

① 50+10= ☐

② 7+7= ☐

③ ☐ + ☐

= ☐

7 46+29

=(40+ ☐)+(6+ ☐)

= ☐ + ☐

= ☐

8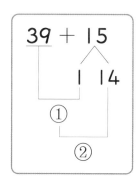
39 + 15

① 39+1= ☐

② ☐ +14= ☐

9 58+24=58+ ☐ + ☐

= ☐ + ☐

= ☐

❀ 서로 다른 2가지 방법으로 계산해 보시오. (10~11)

10

57+26	57+26

11

34+29	34+29

시간	1~4분	4~5분	5~6분	6~7분	7~8분	점수 A + 점수 B	9~10점	7~8점	1~6점
점수 A	5	4	3	2	1				
맞은 개수	18~20개	15~17개	12~14개	9~11개	1~8개		참 잘했어요	잘했어요	좀더 노력하세요
점수 B	5	4	3	2	1				

 덧셈을 하시오. (1~17)

1

```
    □
  1 7
+   5
─────
 □ □
```

2
```
  2 5
+   6
─────
```

3
```
    4
+ 3 8
─────
```

4

48+6= ☐

```
  4 8
+   6
─────
  ☐
```

5 79+8=

6 6+37=

7

```
    □
  3 6
+ 2 4
─────
 □ □
```

8
```
  2 7
+ 4 4
─────
```

9
```
  2 7
+ 5 8
─────
```

10

56+17= ☐

```
  5 6
+ 1 7
─────
  ☐
```

11 38+24=

12 54+19=

13

```
      □
    6 9
  + 5 6
  □ □ □
```

14
```
    4 2
  + 8 9
```

15
```
    3 2
  + 6 8
```

16 57+64= ⬜

```
    5 7
  + 6 4
```
⬜

17 78+99=

🌷 서로 다른 2가지 방법으로 계산
하시오. (18~20)

18

65+29	65+29

19

48+37	48+37

20

65+49	65+49

3

두 자리 수의 뺄셈

핵심 1 받아내림이 있는 (두 자리 수) − (한 자리 수)

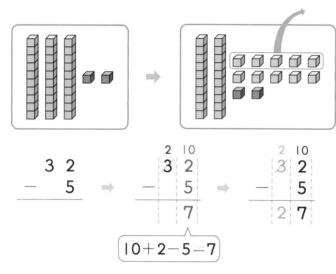

$$3 \quad 2$$
$$- \qquad 5$$

→

$$\overset{2 \ 10}{3 \quad 2}$$
$$- \qquad 5$$
$$\qquad \quad 7$$

→

$$\overset{2 \ 10}{3 \quad 2}$$
$$- \qquad 5$$
$$\quad 2 \quad 7$$

$10 + 2 - 5 = 7$

세로셈으로 나타낼 때, 일의 자리는 일의 자리 끼리, 십의 자리는 십의 자리끼리 맞추어 쓰 도록 합니다.

- 일의 자리, 십의 자리의 순서로 계산합니다.
- 일의 자리의 수끼리 뺄 수 없으므로 십의 자리에서 받아내림하여 12에서 5를 뺀 값을 일의 자리에 쓰고, 십의 자리에서 일의 자리로 받아내림하였으므로 십의 자리의 수에서 1을 뺀 2를 십의 자리에 내려 씁니다.

핵심 2 받아내림이 있는 (두 자리 수) − (두 자리 수)

$$4 \quad 5$$
$$- 1 \quad 8$$

→

$$\overset{3 \ 10}{4 \quad 5}$$
$$- 1 \quad 8$$
$$\qquad \quad 7$$

→

$$\overset{3 \ 10}{4 \quad 5}$$
$$- 1 \quad 8$$
$$\quad 2 \quad 7$$

$10 + 5 - 8 = 7$ 　　 $3 - 1 = 2$

십의 자리에서 일의 자리로 받아 내림한 후에는 반드시 십의 자리에서 1을 빼도록 하세요~!

일의 자리의 수끼리 뺄 수 없을 때에는 십의 자리에서 받아내림하여 계산합니다.

핵심 3 여러 가지 방법으로 뺄셈하기

- 54−26의 계산
  ① 54에서 20을 먼저 뺀 후 6을 뺍니다.
  ② 54에서 30을 먼저 뺀 후 4를 더합니다.
  ③ 54에서 4를 먼저 뺀 후 22를 뺍니다.

핵심 1-1 받아내림이 있는 (두 자리 수)−(한 자리 수)①

$$
\begin{array}{r} 4\ 3 \\ -\quad 9 \\ \hline \end{array}
\Rightarrow
\begin{array}{r} \overset{3}{4}\ \overset{10}{3} \\ -\quad\ \ 9 \\ \hline 4 \end{array}
\Rightarrow
\begin{array}{r} \overset{3}{\cancel{4}}\ \overset{10}{3} \\ -\quad\ \ 9 \\ \hline 3\ 4 \end{array}
$$

① 일의 자리의 수끼리 뺄 수 없으므로 십의 자리에서 10을 받아내림하여 10+3−9=4에서 4를 일의 자리에 씁니다.

② 받아내림하고 남은 수인 3을 십의 자리에 씁니다.

1

$$
\begin{array}{r} 2\ 1 \\ -\quad 4 \\ \hline \end{array}
\Rightarrow
\begin{array}{r} \square\ \square \\ \cancel{2}\ 1 \\ -\quad 4 \\ \hline \square \end{array}
\Rightarrow
\begin{array}{r} \square\ \square \\ \cancel{2}\ 1 \\ -\quad 4 \\ \hline \square\ \square \end{array}
$$

2

$$
\begin{array}{r} \square\ \square \\ \cancel{3}\ 4 \\ -\quad 6 \\ \hline \square\ \square \end{array}
$$

3

$$
\begin{array}{r} \square\ \square \\ \cancel{4}\ 5 \\ -\quad 7 \\ \hline \square\ \square \end{array}
$$

4

$$
\begin{array}{r} \square\ \square \\ \cancel{6}\ 3 \\ -\quad 5 \\ \hline \square\ \square \end{array}
$$

5

$$
\begin{array}{r} \square\ \square \\ \cancel{7}\ 2 \\ -\quad 9 \\ \hline \square\ \square \end{array}
$$

6　　2 2
　　 − 　5
　　————

7　　3 1
　　 − 　6
　　————

8　　4 0
　　 − 　4
　　————

9　　4 7
　　 − 　9
　　————

10　　5 4
　　 − 　9
　　————

11　　5 6
　　 − 　8
　　————

12　　6 5
　　 − 　7
　　————

13　　7 0
　　 − 　4
　　————

14　　7 4
　　 − 　5
　　————

15　　8 1
　　 − 　3
　　————

16　　8 8
　　 − 　9
　　————

17　　9 3
　　 − 　7
　　————

핵심 1-2 받아내림이 있는 (두 자리 수) − (한 자리 수)②

$$36-8= \boxed{28}$$

$$\begin{array}{r} \overset{2\ 10}{\cancel{3}\ 6} \\ -\quad 8 \\ \hline \boxed{2\ 8} \end{array}$$

가로셈은 세로셈으로 고쳐서 일의 자리부터 계산합니다.

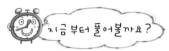
지금 부터 풀어볼까요?

1 $24-7=\boxed{}$
$$\begin{array}{r} 2\ 4 \\ -\quad 7 \\ \hline \boxed{} \end{array}$$

2 $32-9=\boxed{}$
$$\begin{array}{r} 3\ 2 \\ -\quad 9 \\ \hline \boxed{} \end{array}$$

3 $25-6=$

4 $31-4=$

5 $47-8=$

6 $43-5=$

7 $56-9=$

8 $52-6=$

9 $61-9=$

10 $74-7=$

핵심 2-1 받아내림이 있는 (두 자리 수) − (두 자리 수) ①

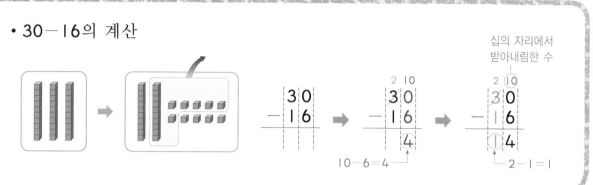

• 30−16의 계산

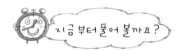

1

$$\begin{array}{r} 4\ 0 \\ -\ 1\ 8 \end{array}$$
→
$$\begin{array}{r} \square\ \square \\ 4\!\!\!/\ 0 \\ -\ 1\ 8 \\ \hline \square \end{array}$$
→
$$\begin{array}{r} \square\ \square \\ 4\!\!\!/\ 0 \\ -\ 1\ 8 \\ \hline \square\ \square \end{array}$$

2
$$\begin{array}{r} \square\ \square \\ 5\ 0 \\ -\ 3\ 2 \\ \hline \square\ \square \end{array}$$

3
$$\begin{array}{r} \square\ \square \\ 7\ 0 \\ -\ 4\ 5 \\ \hline \square\ \square \end{array}$$

4
$$\begin{array}{r} \square\ \square \\ 6\ 0 \\ -\ 2\ 4 \\ \hline \square\ \square \end{array}$$

5
$$\begin{array}{r} \square\ \square \\ 8\ 0 \\ -\ 3\ 6 \\ \hline \square\ \square \end{array}$$

6
```
   2 0
 - 1 6
-----
```

7
```
   3 0
 - 1 8
-----
```

8
```
   4 0
 - 2 4
-----
```

9
```
   6 0
 - 3 6
-----
```

10
```
   5 0
 - 1 3
-----
```

11
```
   7 0
 - 2 5
-----
```

12
```
   6 0
 - 4 2
-----
```

13
```
   8 0
 - 3 9
-----
```

14
```
   7 0
 - 2 7
-----
```

15
```
   9 0
 - 4 4
-----
```

16
```
   8 0
 - 5 2
-----
```

17
```
   9 0
 - 6 8
-----
```

핵심 2-2 받아내림이 있는 (두 자리 수) − (두 자리 수) ②

$$
\begin{array}{r} 4\ 1 \\ -\ 2\ 5 \\ \hline \end{array}
\Rightarrow
\begin{array}{r} {}^{3}\!\!\!\!\quad{}^{10} \\ 4\ 1 \\ -\ 2\ 5 \\ \hline 6 \end{array}
\Rightarrow
\begin{array}{r} {}^{3}\!\!\!\!\quad{}^{10} \\ 4\ 1 \\ -\ 2\ 5 \\ \hline 1\ 6 \end{array}
$$

① 일의 자리의 수끼리 뺄 수 없으므로 십의 자리에서 10을 받아내림하여 $10+1-5=6$에서 6을 일의 자리에 씁니다.

② 받아내림하고 남은 수인 3에서 2를 뺀 1을 십의 자리에 씁니다.

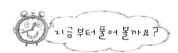

1

$$
\begin{array}{r} 3\ 5 \\ -\ 1\ 7 \\ \hline \end{array}
\Rightarrow
\begin{array}{r} \square\ \square \\ 3\ 5 \\ -\ 1\ 7 \\ \hline \square \end{array}
\Rightarrow
\begin{array}{r} \square\ \square \\ 3\ 5 \\ -\ 1\ 7 \\ \hline \square\ \square \end{array}
$$

2

$$
\begin{array}{r} \square\ \square \\ 4\ 2 \\ -\ 2\ 3 \\ \hline \square\ \square \end{array}
$$

3

$$
\begin{array}{r} \square\ \square \\ 5\ 7 \\ -\ 2\ 8 \\ \hline \square\ \square \end{array}
$$

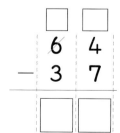

4

$$
\begin{array}{r} \square\ \square \\ 6\ 4 \\ -\ 3\ 7 \\ \hline \square\ \square \end{array}
$$

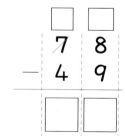

5

$$
\begin{array}{r} \square\ \square \\ 7\ 8 \\ -\ 4\ 9 \\ \hline \square\ \square \end{array}
$$

6
```
  3 2
− 1 5
```

7
```
  3 6
− 1 8
```

8
```
  4 3
− 2 6
```

9
```
  4 7
− 2 9
```

10
```
  5 1
− 3 2
```

11
```
  6 2
− 2 8
```

12
```
  7 0
− 4 1
```

13
```
  7 3
− 3 5
```

14
```
  8 2
− 2 4
```

15
```
  8 6
− 1 9
```

16
```
  9 1
− 1 3
```

17
```
  9 7
− 6 8
```

핵심 2-3 받아내림이 있는 (두 자리 수) − (두 자리 수) ③

$$57-18=\boxed{39}$$

$$\begin{array}{r} {\scriptstyle 4\ \ 10} \\ 5\ 7 \\ -\ 1\ 8 \\ \hline \boxed{3\ 9} \end{array}$$

가로셈은 세로셈으로 고쳐서 일의 자리부터 계산합니다.

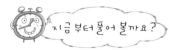

1 $34-17=\boxed{}$

$$\begin{array}{r} 3\ 4 \\ -\ 1\ 7 \\ \hline \boxed{} \end{array}$$

2 $41-15=\boxed{}$

$$\begin{array}{r} 4\ 1 \\ -\ 1\ 5 \\ \hline \boxed{} \end{array}$$

3 $43-24=$

4 $56-28=$

5 $52-16=$

6 $60-31=$

7 $65-38=$

8 $74-45=$

9 $77-59=$

10 $87-29=$

핵심 3 여러 가지 방법으로 뺄셈하기

- 45−27의 계산

  〈방법 1〉 45에서 20을 먼저 뺀 후 7을 뺍니다.

  $$45-27=45-20-7=25-7=18$$

  〈방법 2〉 45에서 30을 먼저 뺀 후 3을 더합니다.

  $$45-27=45-30+3=15+3=18$$

  〈방법 3〉 45에서 5를 먼저 뺀 후 22를 뺍니다.

  $$45-27=45-5-22=40-22=18$$

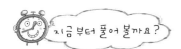 지금 부터 풀어 볼까요?

1 $56-29$ ➡ 56에서 ☐ 을 먼저 뺀 후 ☐ 를 뺍니다.

$$56-\boxed{}-9=\boxed{}-9=\boxed{}$$

2 $56-29$ ➡ 56에서 ☐ 을 먼저 뺀 후 ☐ 을 더합니다.

30   1

$$56-\boxed{}+1=\boxed{}+1=\boxed{}$$

3 $56-29$ ➡ 56에서 ☐ 을 먼저 뺀 후 ☐ 을 뺍니다.

6   23

$$56-\boxed{}-23=\boxed{}-23=\boxed{}$$

4

$76 - 29$

① $76-20=$ ☐

② ☐ $-9=$ ☐

5 $65-27=65-$ ☐ -7

$=$ ☐ -7

$=$ ☐

6

$44 - 28$

$30 \quad 2$

① $44-30=$ ☐

② ☐ $+2=$ ☐

7 $76-29=76-$ ☐ $+1$

$=$ ☐ $+1$

$=$ ☐

8

$64 - 26$

$4 \quad 22$

① $64-4=$ ☐

② ☐ $-22=$ ☐

9 $82-38=82-$ ☐ -36

$=$ ☐ -36

$=$ ☐

🌸 서로 다른 2가지 방법으로 계산해 보시오. (**10~11**)

10

$65-19$	$65-19$

11

$73-46$	$73-46$

시간	1~4분	4~5분	5~6분	6~7분	7~8분	점수 A + 점수 B	9~10점	7~8점	1~6점
점수 A	5	4	3	2	1				
맞은 개수	18~20개	15~17개	12~14개	9~11개	1~8개		참 잘했어요	잘했어요	좀더 노력하세요
점수 B	5	4	3	2	1				

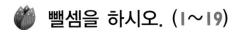

🌷 뺄셈을 하시오. (1~19)

1
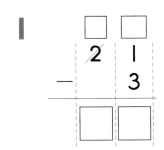

2
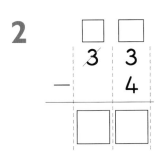

3
```
    5  6
 −     7
```

4
```
    6  2
 −     8
```

5
```
    7  5
 −     9
```

6 27−8= ☐

```
    2  7
 −     8
```
☐

7 43−7= ☐

```
    4  3
 −     7
```
☐

8
```
 ☐  ☐
    8  0
 −  2  7
 ☐  ☐
```

9
```
    7  0
 − 4  3
```

10 60−36=

11
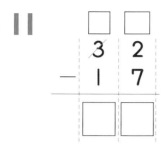

$$\begin{array}{r} \square\ \square \\ \overset{2}{\cancel{3}}\ \ 2 \\ -\ 1\ \ 7 \\ \hline \square\ \square \end{array}$$

12
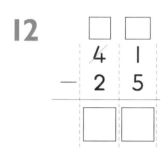

$$\begin{array}{r} \square\ \square \\ \overset{3}{\cancel{4}}\ \ 1 \\ -\ 2\ \ 5 \\ \hline \square\ \square \end{array}$$

13
$$\begin{array}{r} 5\ 7 \\ -\ 1\ 9 \\ \hline \end{array}$$

14
$$\begin{array}{r} 6\ 4 \\ -\ 2\ 8 \\ \hline \end{array}$$

15 $35-16=\boxed{}$
$$\begin{array}{r} 3\ 5 \\ -\ 1\ 6 \\ \hline \boxed{} \end{array}$$

16 $54-27=\boxed{}$
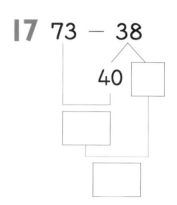
$$\begin{array}{r} 5\ 4 \\ -\ 2\ 7 \\ \hline \boxed{} \end{array}$$

17 $73\ -\ 38$

$40 \quad \boxed{}$

$\boxed{}$

$\boxed{}$

18 $63-27=63-\boxed{}-24$

$\qquad =\boxed{}-24$

$\qquad =\boxed{}$

19 $52-36=52-\boxed{}-6$

$\qquad =\boxed{}-6$

$\qquad =\boxed{}$

20 서로 다른 2가지 방법으로 계산해 보시오.

$84-46$	$84-46$

4

덧셈과 뺄셈의 관계

핵심 1 덧셈과 뺄셈의 관계

(1) 덧셈식을 보고, 뺄셈식 만들기

$$10+4=14 \Rightarrow \begin{cases} 14-4=10 \\ 14-10=4 \end{cases}$$

$$● + ▲ = ■ \Rightarrow \begin{cases} ■ - ▲ = ● \\ ■ - ● = ▲ \end{cases}$$

(2) 뺄셈식을 보고, 덧셈식 만들기

$$18-5=13 \Rightarrow \begin{cases} 5+13=18 \\ 13+5=18 \end{cases}$$

$$■ - ● = ▲ \Rightarrow \begin{cases} ● + ▲ = ■ \\ ▲ + ● = ■ \end{cases}$$

돌다리 두드리기
- 하나의 덧셈식으로 2개의 뺄셈식을 만들 수 있습니다.
- 하나의 뺄셈식으로 2개의 덧셈식을 만들 수 있습니다.

핵심 2 □의 값 구하기

(1)
> 접시에 호두 8개를 담았습니다. 몇 개를 더 담아서 호두가 모두 15개가 되었습니다. 더 담은 호두는 몇 개인지 알아보시오.

- 더 담은 호두의 수를 □로 하여 덧셈식으로 나타내면 $8+□=15$입니다.
- 덧셈과 뺄셈의 관계를 이용하여 □의 값을 구합니다.

$$8+□=15 \Rightarrow 15-8=□, □=7$$

따라서 더 담은 호두는 7개입니다.

(2)
> 꽃밭에 나비가 13마리 있었습니다. 잠시 후 몇 마리가 날아가서 8마리가 남았습니다. 날아간 나비는 몇 마리인지 알아보시오.

- 날아간 나비의 수를 □로 하여 뺄셈식으로 나타내면 $13-□=8$입니다.
- 덧셈과 뺄셈의 관계를 이용하여 □의 값을 구합니다.

$$13-□=8 \Rightarrow 13-8=□, □=5$$

따라서 날아간 나비는 5마리입니다.

시간	1~3분	3~4분	4~5분	점수 A + 점수 B	8~10점	5~7점	1~4점
점수 A	5	3	1				
맞은 개수	11~13개	6~10개	1~5개		참 잘했어요	잘했어요	좀더 노력하세요
점수 B	5	3	1				

핵심 1-1 덧셈식을 보고 뺄셈식 만들기

$$15+3=18 \Rightarrow \begin{array}{l} 18-3=15 \\ 18-15=3 \end{array}$$

$$\bullet + \blacktriangle = \blacksquare \Rightarrow \begin{array}{l} \blacksquare - \blacktriangle = \bullet \\ \blacksquare - \bullet = \blacktriangle \end{array}$$

➡ 하나의 덧셈식으로 2개의 뺄셈식을 만들 수 있습니다.

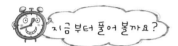

지금 부터 풀어 볼까요?

1

18　　　　6

24

$$18+6=24$$

$$24-\boxed{}=18$$

$$18+\boxed{}=24$$

$$\boxed{}-18=6$$

2

8　　　　14

22

$$8+14=22$$

$$\boxed{}-\boxed{}=\boxed{}$$

$$8+\boxed{}=22$$

$$\boxed{}-\boxed{}=\boxed{}$$

3

25　　　　17

42

$$25+17=42$$

$$\boxed{}-\boxed{}=\boxed{}$$

$$\boxed{}+17=\boxed{}$$

$$\boxed{}-\boxed{}=\boxed{}$$

4 $16+12=28$

→ $28-\boxed{}=16$

$28-\boxed{}=12$

5 $24+16=40$

→ $40-\boxed{}=24$

$40-\boxed{}=16$

6 $23+19=42$

→ $\boxed{}-19=\boxed{}$

$\boxed{}-23=\boxed{}$

7 $16+38=54$

→ $\boxed{}-38=\boxed{}$

$\boxed{}-16=\boxed{}$

8 $35+27=62$

→ $\boxed{}-\boxed{}=35$

$\boxed{}-\boxed{}=27$

9 $33+49=82$

→ $\boxed{}-\boxed{}=33$

$\boxed{}-\boxed{}=49$

10 $27+15=42$

→ $\boxed{}-\boxed{}=\boxed{}$

$\boxed{}-\boxed{}=\boxed{}$

11 $19+35=54$

→ $\boxed{}-\boxed{}=\boxed{}$

$\boxed{}-\boxed{}=\boxed{}$

12 $49+17=66$

→ $\boxed{}-\boxed{}=\boxed{}$

$\boxed{}-\boxed{}=\boxed{}$

13 $54+38=92$

→ $\boxed{}-\boxed{}=\boxed{}$

$\boxed{}-\boxed{}=\boxed{}$

핵심 1-2 뺄셈식을 보고 덧셈식 만들기

$$17-5=12 \Rightarrow \begin{cases} 12+5=17 \\ 5+12=17 \end{cases}$$

$$\bullet - \blacktriangle = \blacksquare \Rightarrow \begin{cases} \blacksquare + \blacktriangle = \bullet \\ \blacktriangle + \blacksquare = \bullet \end{cases}$$

➡ 하나의 뺄셈식으로 2개의 덧셈식을 만들 수 있습니다.

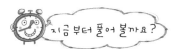
지금 부터 풀어 볼까요?

1

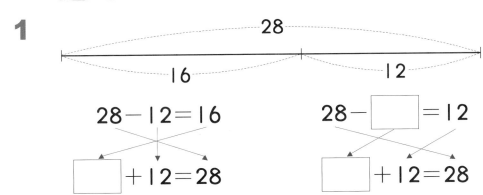

$$28-12=16$$

$$\boxed{}+12=28$$

$$28-\boxed{}=12$$

$$\boxed{}+12=28$$

2

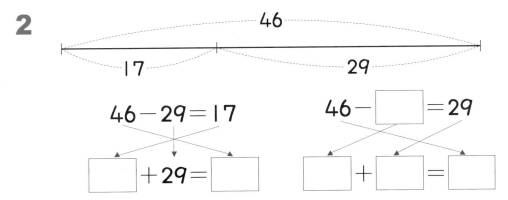

$$46-29=17$$

$$\boxed{}+29=\boxed{}$$

$$46-\boxed{}=29$$

$$\boxed{}+\boxed{}=\boxed{}$$

3

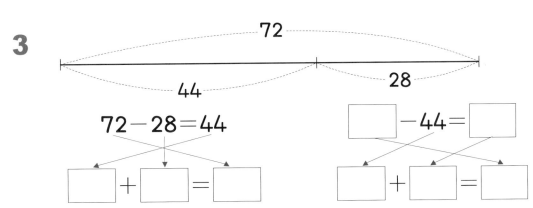

$$72-28=44$$

$$\boxed{}+\boxed{}=\boxed{}$$

$$\boxed{}-44=\boxed{}$$

$$\boxed{}+\boxed{}=\boxed{}$$

4 $36-15=21$

➡ $21+\boxed{}=36$
$15+\boxed{}=36$

5 $42-17=25$

➡ $25+\boxed{}=42$
$17+\boxed{}=42$

6 $54-32=22$

➡ $\boxed{}+32=\boxed{}$
$\boxed{}+22=\boxed{}$

7 $43-25=18$

➡ $\boxed{}+25=\boxed{}$
$\boxed{}+18=\boxed{}$

8 $46-13=33$

➡ $33+\boxed{}=\boxed{}$
$13+\boxed{}=\boxed{}$

9 $33-17=16$

➡ $16+\boxed{}=\boxed{}$
$17+\boxed{}=\boxed{}$

10 $54-42=12$

➡ $\boxed{}+\boxed{}=\boxed{}$
$\boxed{}+\boxed{}=\boxed{}$

11 $73-38=35$

➡ $\boxed{}+\boxed{}=\boxed{}$
$\boxed{}+\boxed{}=\boxed{}$

12 $75-29=46$

➡ $\boxed{}+\boxed{}=\boxed{}$
$\boxed{}+\boxed{}=\boxed{}$

13 $82-53=29$

➡ $\boxed{}+\boxed{}=\boxed{}$
$\boxed{}+\boxed{}=\boxed{}$

핵심 2-1 덧셈식에서 □의 값 구하기

$$12 + \boxed{} = 19 \quad \Rightarrow \quad 19 - 12 = \boxed{}, \quad \boxed{} = 7$$

➡ 덧셈과 뺄셈의 관계를 이용하여 □의 값을 구할 수 있습니다.

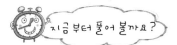

1

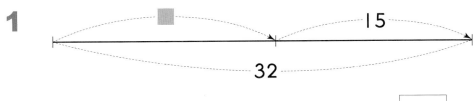

$$\blacksquare + 15 = 32, \quad \blacksquare = 32 - 15, \quad \blacksquare = \boxed{}$$

2

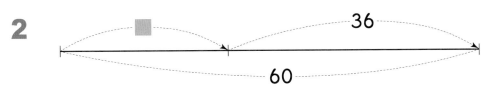

$$\blacksquare + 36 = \boxed{}, \quad \blacksquare = \boxed{} - 36, \quad \blacksquare = \boxed{}$$

3

$$29 + \blacksquare = \boxed{}, \quad \blacksquare = \boxed{} - \boxed{}, \quad \blacksquare = \boxed{}$$

4 ☐ $+24=49$

5 ☐ $+13=52$

6 ☐ $+12=21$

7 ☐ $+34=51$

8 ☐ $+41=60$

9 ☐ $+27=52$

10 ☐ $+19=46$

11 ☐ $+57=85$

12 $24+$ ☐ $=58$

13 $19+$ ☐ $=59$

14 $32+$ ☐ $=56$

15 $28+$ ☐ $=54$

16 $17+$ ☐ $=83$

17 $26+$ ☐ $=72$

18 $45+$ ☐ $=83$

19 $39+$ ☐ $=93$

20 $54+$ ☐ $=72$

21 $66+$ ☐ $=82$

❋ 덧셈식을 쓰고 □의 값을 구하시오. (22~26)

22

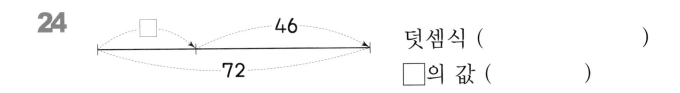

□   17
49

덧셈식 (   )
□의 값 (   )

23

36   □
80

덧셈식 (   )
□의 값 (   )

24

□   46
72

덧셈식 (   )
□의 값 (   )

25

54   □
91

덧셈식 (   )
□의 값 (   )

26

48   □
76

덧셈식 (   )
□의 값 (   )

핵심 2-2 뺄셈식에서 □의 값 구하기

$$25 - \boxed{} = 8 \Rightarrow \boxed{} + 8 = 25, \quad \boxed{} = 25 - 8, \quad \boxed{} = 17$$

➡ 덧셈과 뺄셈의 관계를 이용하여 □의 값을 구할 수 있습니다.

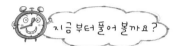

1

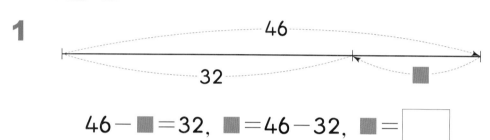

$$46 - \blacksquare = 32, \quad \blacksquare = 46 - 32, \quad \blacksquare = \boxed{}$$

2

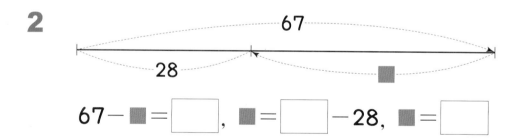

$$67 - \blacksquare = \boxed{}, \quad \blacksquare = \boxed{} - 28, \quad \blacksquare = \boxed{}$$

3

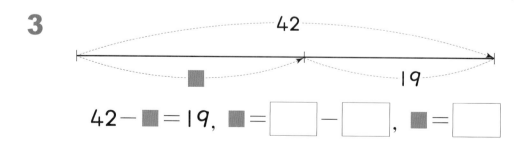

$$42 - \blacksquare = 19, \quad \blacksquare = \boxed{} - \boxed{}, \quad \blacksquare = \boxed{}$$

4   54 − ☐ = 21

5   47 − ☐ = 24

6   39 − ☐ = 15

7   65 − ☐ = 41

8   72 − ☐ = 25

9   61 − ☐ = 47

10   36 − ☐ = 17

11   83 − ☐ = 45

12   ☐ − 42 = 19

13   ☐ − 52 = 17

14   ☐ − 27 = 36

15   ☐ − 34 = 58

16   ☐ − 65 = 27

17   ☐ − 19 = 44

18   ☐ − 56 = 35

19   ☐ − 47 = 38

20   ☐ − 29 = 64

21   ☐ − 54 = 18

✿ 뺄셈식을 쓰고 ☐의 값을 구하시오. (22~26)

22

83
51 ☐

뺄셈식 (   )

☐의 값 (   )

23

54
25 ☐

뺄셈식 (   )

☐의 값 (   )

24

92
65 ☐

뺄셈식 (   )

☐의 값 (   )

25

75
☐ 44

뺄셈식 (   )

☐의 값 (   )

26

95
☐ 39

뺄셈식 (   )

☐의 값 (   )

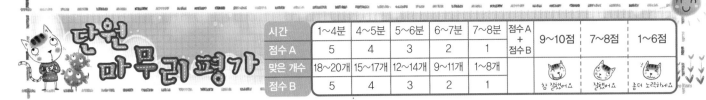
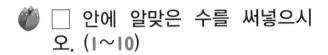

시간	1~4분	4~5분	5~6분	6~7분	7~8분	점수A + 점수B	9~10점	7~8점	1~6점
점수 A	5	4	3	2	1				
맞은 개수	18~20개	15~17개	12~14개	9~11개	1~8개		참 잘했어요	잘했어요	좀더 노력하세요
점수 B	5	4	3	2	1				

🌷 □ 안에 알맞은 수를 써넣으시오. (1~10)

1 $23+16=39$

➡ $39-\boxed{}=23$

$39-\boxed{}=16$

2 $37+26=63$

➡ $\boxed{}-26=37$

$\boxed{}-37=26$

3 $54+39=93$

➡ $\boxed{}-39=54$

$\boxed{}-\boxed{}=39$

4 $32+26=58$

➡ $\boxed{}-\boxed{}=32$

$\boxed{}-\boxed{}=26$

5 $47+35=82$

➡ $\boxed{}-\boxed{}=47$

$\boxed{}-\boxed{}=35$

6 $57-25=32$

➡ $32+\boxed{}=57$

$25+\boxed{}=57$

7 $63-37=26$

➡ $\boxed{}+37=\boxed{}$

$\boxed{}+26=\boxed{}$

8 $78-33=45$

➡ $\boxed{}+33=\boxed{}$

$\boxed{}+45=\boxed{}$

9 $56-32=24$

➡ $\boxed{}+\boxed{}=\boxed{}$

$\boxed{}+\boxed{}=\boxed{}$

10 $92-47=45$

➡ $\boxed{}+\boxed{}=\boxed{}$

$\boxed{}+\boxed{}=\boxed{}$

□ 안에 알맞은 수를 써넣으시오. (11~20)

11

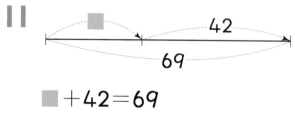

■＋42＝69

■＝69－42

■＝ ▢

12

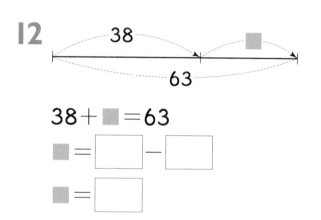

38＋■＝63

■＝ ▢ － ▢

■＝ ▢

13 ▢ ＋27＝59

14 24＋ ▢ ＝67

15 39＋ ▢ ＝86

16

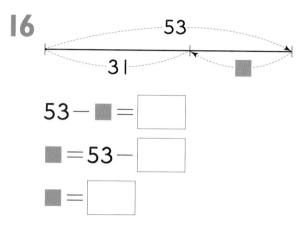

53－■＝ ▢

■＝53－ ▢

■＝ ▢

17

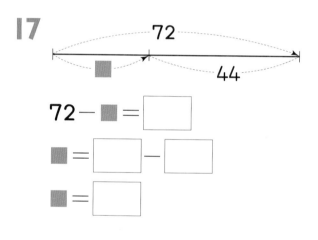

72－■＝ ▢

■＝ ▢ － ▢

■＝ ▢

18 ▢ －32＝54

19 58－ ▢ ＝16

20 72－ ▢ ＝34

5

세 수의 계산

핵심 1 세 수의 덧셈

• 28+24+15의 계산

$$
\begin{array}{r}
2\ 8 \\
+\ 2\ 4 \\
\hline
5\ 2
\end{array}
\quad\rightarrow\quad
\begin{array}{r}
5\ 2 \\
+\ 1\ 5 \\
\hline
6\ 7
\end{array}
$$

28+24+15=67
52
67

핵심 2 세 수의 뺄셈

• 71−13−26의 계산

$$
\begin{array}{r}
7\ 1 \\
-\ 1\ 3 \\
\hline
5\ 8
\end{array}
\quad\rightarrow\quad
\begin{array}{r}
5\ 8 \\
-\ 2\ 6 \\
\hline
3\ 2
\end{array}
$$

71−13−26=32
58
32

세 수의 뺄셈은 반드시 앞에서부터 차례로 계산합니다.

세 수의 뺄셈은 순서를 바꾸어 계산하면 계산한 결과가 달라지므로 앞에서부터 차례로 계산합니다.

핵심 3 세 수의 덧셈과 뺄셈

• 46−17+23의 계산

46−17+23=52 (○)
29
52

46−17+23=6 (×)
40
6

세 수의 혼합 계산은 반드시 앞에서부터 차례로 계산합니다.

세 수의 계산을 할 때 덧셈과 뺄셈이 섞여 있거나 뺄셈만 있는 식은 반드시 앞에서부터 차례로 계산합니다.

시간	1~4분	4~5분	5~6분	점수 A + 점수 B	8~10점	5~7점	1~4점
점수 A	5	3	1				
맞은 개수	12~14개	8~11개	1~7개		참 잘했어요	잘했어요	좀더 노력하세요
점수 B	5	3	1				

핵심 1-1 세 수의 덧셈①

$$16 + 15 + 23 = 54$$

```
  1 6          3 1
+ 1 5        + 2 3
─────        ─────
  3 1          5 4
```

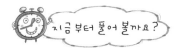

1 1 2 + 4 + 7 = ☐

```
  1 2          ☐
+   4        +   7
─────        ─────
  ☐            ☐
```

2 2 5 + 6 + 3 = ☐

```
  2 5          ☐
+   6        +   3
─────        ─────
  ☐            ☐
```

3 2 8 + 1 4 + 1 5 = ☐

```
  2 8          ☐
+ 1 4        + 1 5
─────        ─────
  ☐            ☐
```

4 2 4 + 2 5 + 3 3 = ☐

```
  2 4          ☐
+ 2 5        + 3 3
─────        ─────
  ☐            ☐
```

5 1 6 + 3 8 + 4 2 = ☐

```
  1 6          ☐
+ 3 8        + 4 2
─────        ─────
  ☐            ☐
```

6 1 7 + 3 5 + 2 8 = ☐

```
  1 7          ☐
+ 3 5        + 2 8
─────        ─────
  ☐            ☐
```

7 $13+14+50=\boxed{}$

$$
\begin{array}{r}
1\ 3 \\
+1\ 4 \\
\hline
\boxed{}
\end{array}
\qquad
\begin{array}{r}
\boxed{} \\
+5\ 0 \\
\hline
\boxed{}
\end{array}
$$

8 $21+17+32=\boxed{}$

$$
\begin{array}{r}
2\ 1 \\
+1\ 7 \\
\hline
\boxed{}
\end{array}
\qquad
\begin{array}{r}
\boxed{} \\
+3\ 2 \\
\hline
\boxed{}
\end{array}
$$

9 $45+28+11=\boxed{}$

$$
\begin{array}{r}
4\ 5 \\
+2\ 8 \\
\hline
\boxed{}
\end{array}
\qquad
\begin{array}{r}
\boxed{} \\
+1\ 1 \\
\hline
\boxed{}
\end{array}
$$

10 $36+27+12=\boxed{}$

$$
\begin{array}{r}
3\ 6 \\
+2\ 7 \\
\hline
\boxed{}
\end{array}
\qquad
\begin{array}{r}
\boxed{} \\
+1\ 2 \\
\hline
\boxed{}
\end{array}
$$

11 $13+23+24=\boxed{}$

$$
\begin{array}{r}
1\ 3 \\
+2\ 3 \\
\hline
\boxed{}
\end{array}
\qquad
\begin{array}{r}
\boxed{} \\
+2\ 4 \\
\hline
\boxed{}
\end{array}
$$

12 $18+51+22=\boxed{}$

$$
\begin{array}{r}
1\ 8 \\
+5\ 1 \\
\hline
\boxed{}
\end{array}
\qquad
\begin{array}{r}
\boxed{} \\
+2\ 2 \\
\hline
\boxed{}
\end{array}
$$

13 $32+19+15=\boxed{}$

$$
\begin{array}{r}
3\ 2 \\
+1\ 9 \\
\hline
\boxed{}
\end{array}
\qquad
\begin{array}{r}
\boxed{} \\
+1\ 5 \\
\hline
\boxed{}
\end{array}
$$

14 $25+14+31=\boxed{}$

$$
\begin{array}{r}
2\ 5 \\
+1\ 4 \\
\hline
\boxed{}
\end{array}
\qquad
\begin{array}{r}
\boxed{} \\
+3\ 1 \\
\hline
\boxed{}
\end{array}
$$

핵심 1-2 세 수의 덧셈②

$$38+10+23= \boxed{71}$$

① $\boxed{48}$

② $\boxed{71}$

① $38+10=48$

② $48+23=71$

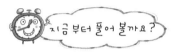

1 $14+28+7=\boxed{}$

2 $11+10+29=\boxed{}$

3 $45+19+25=$

4 $39+18+15=$

5 $24+13+46=$

6 $21+25+23=$

7 $25+38+19=$

8 $32+29+27=$

시간	1~4분	4~5분	5~6분	점수 A + 점수 B	8~10점	5~7점	1~4점
점수 A	5	3	1				
맞은 개수	12~14개	8~11개	1~7개		참 잘했어요	잘했어요	좀더 노력하세요
점수 B	5	3	1				

핵심 2-1 세 수의 뺄셈①

$$67 - 23 - 14 = 30$$

$$\begin{array}{r} 6\ 7 \\ -\ 2\ 3 \\ \hline 4\ 4 \end{array} \rightarrow \begin{array}{r} 4\ 4 \\ -\ 1\ 4 \\ \hline 3\ 0 \end{array}$$

세 수의 뺄셈은 반드시 앞에
서부터 차례로 계산합니다.

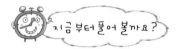 지금 부터 풀어 볼까요?

1 $36 - 7 - 4 = \boxed{}$

$$\begin{array}{r} 3\ 6 \\ -\ 7 \\ \hline \end{array} \rightarrow \boxed{} \quad \begin{array}{r} \\ -\ 4 \\ \hline \end{array}$$

2 $45 - 8 - 9 = \boxed{}$

$$\begin{array}{r} 4\ 5 \\ -\ 8 \\ \hline \end{array} \rightarrow \boxed{} \quad \begin{array}{r} \\ -\ 9 \\ \hline \end{array}$$

3 $72 - 26 - 15 = \boxed{}$

$$\begin{array}{r} 7\ 2 \\ -\ 2\ 6 \\ \hline \end{array} \rightarrow \boxed{} \quad \begin{array}{r} \\ -\ 1\ 5 \\ \hline \end{array}$$

4 $64 - 17 - 18 = \boxed{}$

$$\begin{array}{r} 6\ 4 \\ -\ 1\ 7 \\ \hline \end{array} \rightarrow \boxed{} \quad \begin{array}{r} \\ -\ 1\ 8 \\ \hline \end{array}$$

5 $65 - 28 - 19 = \boxed{}$

$$\begin{array}{r} 6\ 5 \\ -\ 2\ 8 \\ \hline \end{array} \rightarrow \boxed{} \quad \begin{array}{r} \\ -\ 1\ 9 \\ \hline \end{array}$$

6 $71 - 16 - 17 = \boxed{}$

$$\begin{array}{r} 7\ 1 \\ -\ 1\ 6 \\ \hline \end{array} \rightarrow \boxed{} \quad \begin{array}{r} \\ -\ 1\ 7 \\ \hline \end{array}$$

7 $64 - 12 - 25 =$ ☐

$$\begin{array}{r} 6\ 4 \\ -\ 1\ 2 \\ \hline \end{array}$$ ☐ → ☐

$$\begin{array}{r} \\ -\ 2\ 5 \\ \hline \end{array}$$ ☐

8 $84 - 27 - 12 =$ ☐

$$\begin{array}{r} 8\ 4 \\ -\ 2\ 7 \\ \hline \end{array}$$ ☐ → ☐

$$\begin{array}{r} \\ -\ 1\ 2 \\ \hline \end{array}$$ ☐

9 $86 - 17 - 11 =$ ☐

$$\begin{array}{r} 8\ 6 \\ -\ 1\ 7 \\ \hline \end{array}$$ ☐ → ☐

$$\begin{array}{r} \\ -\ 1\ 1 \\ \hline \end{array}$$ ☐

10 $65 - 19 - 24 =$ ☐

$$\begin{array}{r} 6\ 5 \\ -\ 1\ 9 \\ \hline \end{array}$$ ☐ → ☐

$$\begin{array}{r} \\ -\ 2\ 4 \\ \hline \end{array}$$ ☐

11 $75 - 12 - 41 =$ ☐

$$\begin{array}{r} 7\ 5 \\ -\ 1\ 2 \\ \hline \end{array}$$ ☐ → ☐

$$\begin{array}{r} \\ -\ 4\ 1 \\ \hline \end{array}$$ ☐

12 $76 - 51 - 12 =$ ☐

$$\begin{array}{r} 7\ 6 \\ -\ 5\ 1 \\ \hline \end{array}$$ ☐ → ☐

$$\begin{array}{r} \\ -\ 1\ 2 \\ \hline \end{array}$$ ☐

13 $83 - 56 - 13 =$ ☐

$$\begin{array}{r} 8\ 3 \\ -\ 5\ 6 \\ \hline \end{array}$$ ☐ → ☐

$$\begin{array}{r} \\ -\ 1\ 3 \\ \hline \end{array}$$ ☐

14 $92 - 28 - 37 =$ ☐

$$\begin{array}{r} 9\ 2 \\ -\ 2\ 8 \\ \hline \end{array}$$ ☐ → ☐

$$\begin{array}{r} \\ -\ 3\ 7 \\ \hline \end{array}$$ ☐

핵심 2-2 세 수의 뺄셈②

$$43 - 15 - 12 = \boxed{16}$$

① $\boxed{28}$

② $\boxed{16}$

① $43 - 15 = 28$

② $28 - 12 = 16$

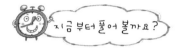

지금 부터 풀어 볼까요?

1 $45 - 18 - 9 = \boxed{}$

2 $76 - 20 - 17 = \boxed{}$

3 $52 - 16 - 17 =$

4 $86 - 39 - 19 =$

5 $60 - 27 - 12 =$

6 $95 - 18 - 29 =$

7 $70 - 14 - 16 =$

8 $82 - 25 - 28 =$

핵심 3-1 세 수의 덧셈과 뺄셈①

$$34 + 13 - 16 = 31$$

$$\begin{array}{r} 3\,4 \\ +\,1\,3 \\ \hline 4\,7 \end{array} \qquad \begin{array}{r} 4\,7 \\ -\,1\,6 \\ \hline 3\,1 \end{array}$$

세 수의 덧셈과 뺄셈이 섞여 있는 혼합 계산은 반드시 앞에서부터 차례로 계산합니다.

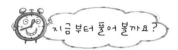 지금 부터 풀어 볼까요?

1 $26 + 14 - 12 = \boxed{}$

$$\begin{array}{r} 2\,6 \\ +\,1\,4 \\ \hline \boxed{} \end{array} \qquad \begin{array}{r} \boxed{} \\ -\,1\,2 \\ \hline \boxed{} \end{array}$$

2 $35 + 13 - 29 = \boxed{}$

$$\begin{array}{r} 3\,5 \\ +\,1\,3 \\ \hline \boxed{} \end{array} \qquad \begin{array}{r} \boxed{} \\ -\,2\,9 \\ \hline \boxed{} \end{array}$$

3 $17 + 48 - 16 = \boxed{}$

$$\begin{array}{r} 1\,7 \\ +\,4\,8 \\ \hline \boxed{} \end{array} \qquad \begin{array}{r} \boxed{} \\ -\,1\,6 \\ \hline \boxed{} \end{array}$$

4 $44 - 19 + 17 = \boxed{}$

$$\begin{array}{r} 4\,4 \\ -\,1\,9 \\ \hline \boxed{} \end{array} \qquad \begin{array}{r} \boxed{} \\ +\,1\,7 \\ \hline \boxed{} \end{array}$$

5 $63 - 27 + 16 = \boxed{}$

$$\begin{array}{r} 6\,3 \\ -\,2\,7 \\ \hline \boxed{} \end{array} \qquad \begin{array}{r} \boxed{} \\ +\,1\,6 \\ \hline \boxed{} \end{array}$$

6 $82 - 35 + 18 = \boxed{}$

$$\begin{array}{r} 8\,2 \\ -\,3\,5 \\ \hline \boxed{} \end{array} \qquad \begin{array}{r} \boxed{} \\ +\,1\,8 \\ \hline \boxed{} \end{array}$$

7 $15 + 21 - 14 =$ ☐

$$
\begin{array}{r}
1\ 5 \\
+\ 2\ 1 \\
\hline
\end{array}
\quad
\begin{array}{r}
-\ 1\ 4 \\
\hline
\end{array}
$$

8 $32 + 54 - 27 =$ ☐

$$
\begin{array}{r}
3\ 2 \\
+\ 5\ 4 \\
\hline
\end{array}
\quad
\begin{array}{r}
-\ 2\ 7 \\
\hline
\end{array}
$$

9 $27 + 15 - 12 =$ ☐

$$
\begin{array}{r}
2\ 7 \\
+\ 1\ 5 \\
\hline
\end{array}
\quad
\begin{array}{r}
-\ 1\ 2 \\
\hline
\end{array}
$$

10 $19 + 47 - 36 =$ ☐

$$
\begin{array}{r}
1\ 9 \\
+\ 4\ 7 \\
\hline
\end{array}
\quad
\begin{array}{r}
-\ 3\ 6 \\
\hline
\end{array}
$$

11 $78 - 12 + 15 =$ ☐

$$
\begin{array}{r}
7\ 8 \\
-\ 1\ 2 \\
\hline
\end{array}
\quad
\begin{array}{r}
+\ 1\ 5 \\
\hline
\end{array}
$$

12 $84 - 52 + 14 =$ ☐

$$
\begin{array}{r}
8\ 4 \\
-\ 5\ 2 \\
\hline
\end{array}
\quad
\begin{array}{r}
+\ 1\ 4 \\
\hline
\end{array}
$$

13 $33 - 16 + 26 =$ ☐

$$
\begin{array}{r}
3\ 3 \\
-\ 1\ 6 \\
\hline
\end{array}
\quad
\begin{array}{r}
+\ 2\ 6 \\
\hline
\end{array}
$$

14 $98 - 57 + 13 =$ ☐

$$
\begin{array}{r}
9\ 8 \\
-\ 5\ 7 \\
\hline
\end{array}
\quad
\begin{array}{r}
+\ 1\ 3 \\
\hline
\end{array}
$$

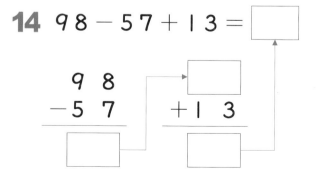

핵심 3-2 세 수의 덧셈과 뺄셈②

$$54 - 13 + 11 = \boxed{52}$$
① $\boxed{41}$
② $\boxed{52}$

① $54 - 13 = 41$
② $41 + 11 = 52$

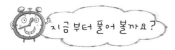

1 $15 + 39 - 12 = \boxed{}$

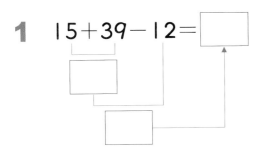

2 $21 + 45 - 38 = \boxed{}$

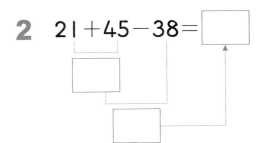

3 $26 + 32 - 15 = \boxed{}$

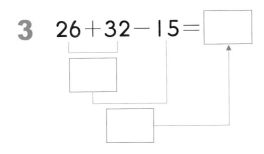

4 $57 - 35 + 49 = \boxed{}$

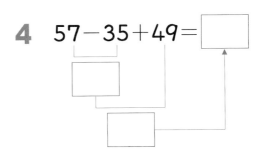

5 $74 - 18 + 13 = \boxed{}$

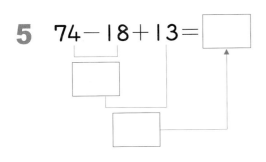

6 $56 - 22 + 33 = \boxed{}$

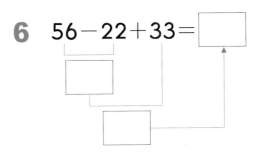

7 $26+39-14=$

8 $34+18-25=$

9 $46+18-12=$

10 $31+35-29=$

11 $64+15-52=$

12 $47+31-29=$

13 $54-17+12=$

14 $70-26+29=$

15 $52-24+21=$

16 $85-52+19=$

17 $43-15+14=$

18 $67-36+29=$

시간	1~7분	7~8분	8~9분	9~10분	10~11분	점수 A + 점수 B	9~10점	7~8점	1~6점
점수 A	5	4	3	2	1				
맞은 개수	18~20개	15~17개	12~14개	9~11개	1~8개		참 잘했어요	잘했어요	좀더 노력하세요
점수 B	5	4	3	2	1				

🌷 세 수의 덧셈을 하시오. (1~6)

1 $17+8+6=$ ▭

$$
\begin{array}{r}
1\ 7 \\
+\ \ \ 8 \\
\hline

\end{array}
\qquad
\begin{array}{r}
 \\
+\ \ \ 6 \\
\hline

\end{array}
$$

2 $21+13+29=$ ▭

3 $19+27+42=$

4 $35+18+28=$

5 $59+14+17=$

6 $46+18+26=$

🌷 세 수의 뺄셈을 하시오. (7~12)

7 $56-8-9=$ ▭

$$
\begin{array}{r}
5\ 6 \\
-\ \ \ 8 \\
\hline

\end{array}
\qquad
\begin{array}{r}
 \\
-\ \ \ 9 \\
\hline

\end{array}
$$

8 $84-25-43=$ ▭

9 $64-26-15=$

10 $71-13-29=$

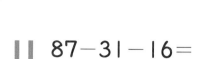
11 87−31−16=

12 96−27−38=

🌷 세 수의 계산을 하시오. (13~20)

13 65+17−19=☐

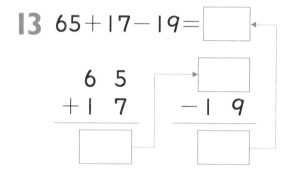

$$6\ 5$$
$$+1\ 7$$

$$-1\ 9$$

14 42−28+25=☐

15 54+17−37=

16 31+22−15=

17 76+17−11=

18 63−48+16=

19 45−27+48=

20 71−15+37=

6

네 자리 수

핵심 1 네 자리 수 알아보기

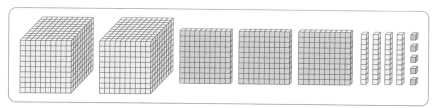

1000이 2, 100이 3, 10이 4, 1이 5이면 2345입니다.
2345는 이천삼백사십오라고 읽습니다.

천의 자리	백의 자리	십의 자리	일의 자리
2	3	4	5

2	○	○	○
	3	○	○
		4	○
			5

2345에서 2는 천의 자리의 숫자이고, 2000을 나타냅니다.
　　　　　3은 백의 자리의 숫자이고, 300을 나타냅니다.
　　　　　4는 십의 자리의 숫자이고, 40을 나타냅니다.
　　　　　5는 일의 자리의 숫자이고, 5를 나타냅니다.

핵심 2 뛰어서 세기

• 1000씩 뛰어서 세기

　1000　2000　3000　4000　5000

• 100씩 뛰어서 세기

　9100　9200　9300　9400　9500

• 10씩 뛰어서 세기

　9910　9920　9930　9940　9950

• 1씩 뛰어서 세기

　9995　9996　9997　9998　9999

시간	1~4분	4~5분	5~6분	점수A + 점수B	8~10점	5~7점	1~4점
점수A	5	3	1				
맞은 개수	12~14개	9~11개	1~8개		참 잘했어요	잘했어요	좀더 노력하세요
점수B	5	3	1				

핵심 1-1 네 자리 수 알아보기

1000이 2, 100이 8, 10이 9, 1이 3이면 **2893**입니다.

지금부터 풀어 볼까요?

1
1000이 3 ┐
100이 3 │
10이 2 │ 이면 [　　　]
1이 9 ┘

2
1000이 4 ┐
100이 2 │
10이 6 │ 이면 [　　　]
1이 7 ┘

3
1000이 5 ┐
100이 2 │
10이 4 │ 이면 [　　　]
1이 8 ┘

4
1000이 6 ┐
100이 3 │
10이 7 │ 이면 [　　　]
1이 2 ┘

5
1000이 7 ┐
100이 5 │
10이 5 │ 이면 [　　　]
1이 3 ┘

6
1000이 8 ┐
100이 7 │
10이 3 │ 이면 [　　　]
1이 4 ┘

7

8234는
- 1000이 ☐
- 100이 ☐
- 10이 ☐
- 1이 ☐

8

4539는
- 1000이 ☐
- 100이 ☐
- 10이 ☐
- 1이 ☐

9

6245는
- 1000이 ☐
- 100이 ☐
- 10이 ☐
- 1이 ☐

10

7392는
- 1000이 ☐
- 100이 ☐
- 10이 ☐
- 1이 ☐

11

5936은
- 1000이 ☐
- 100이 ☐
- 10이 ☐
- 1이 ☐

12

6853은
- 1000이 ☐
- 100이 ☐
- 10이 ☐
- 1이 ☐

13

3887은
- 1000이 ☐
- 100이 ☐
- 10이 ☐
- 1이 ☐

14

5078은
- 1000이 ☐
- 100이 ☐
- 10이 ☐
- 1이 ☐

핵심 1-2 자릿값 알아보기

2893에서
┌ 2는 천의 자리의 숫자이고, 2000을 나타냅니다.
│ 8은 백의 자리의 숫자이고, 800을 나타냅니다.
│ 9는 십의 자리의 숫자이고, 90을 나타냅니다.
└ 3은 일의 자리의 숫자이고, 3을 나타냅니다.

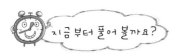 지금 부터 풀어 볼까요?

1

2475에서
┌ 2는 천의 자리의 숫자이고, ☐ 을 나타냅니다.
│ 4는 백의 자리의 숫자이고, ☐ 을 나타냅니다.
│ 7은 십의 자리의 숫자이고, ☐ 을 나타냅니다.
└ 5는 일의 자리의 숫자이고, ☐ 를 나타냅니다.

2

5928에서
┌ 5는 천의 자리의 숫자이고, ☐ 을 나타냅니다.
│ 9는 ☐ 의 자리의 숫자이고, 900을 나타냅니다.
│ 2는 ☐ 의 자리의 숫자이고, 20을 나타냅니다.
└ 8은 일의 자리의 숫자이고, ☐ 을 나타냅니다.

3

8347에서
┌ 8은 ☐ 의 자리의 숫자이고, 8000을 나타냅니다.
│ 3은 백의 자리의 숫자이고, ☐ 을 나타냅니다.
│ 4는 십의 자리의 숫자이고, ☐ 을 나타냅니다.
└ 7은 ☐ 의 자리의 숫자이고, 7을 나타냅니다.

4

6945에서

6은 천의 자리의 숫자이고, ☐ 을 나타냅니다.

☐ 는 백의 자리의 숫자이고, ☐ 을 나타냅니다.

4는 십의 자리의 숫자이고, ☐ 을 나타냅니다.

☐ 는 일의 자리의 숫자이고, ☐ 를 나타냅니다.

5

3827에서

☐ 은 천의 자리의 숫자이고, ☐ 을 나타냅니다.

☐ 은 백의 자리의 숫자이고, ☐ 을 나타냅니다.

2는 ☐ 의 자리의 숫자이고, ☐ 을 나타냅니다.

7은 ☐ 의 자리의 숫자이고, ☐ 을 나타냅니다.

6

9364에서

9는 ☐ 의 자리의 숫자이고, ☐ 을 나타냅니다.

3은 ☐ 의 자리의 숫자이고, ☐ 을 나타냅니다.

☐ 은 십의 자리의 숫자이고, ☐ 을 나타냅니다.

☐ 는 일의 자리의 숫자이고, ☐ 를 나타냅니다.

7

7638에서

☐ 은 천의 자리의 숫자이고, ☐ 을 나타냅니다.

6은 ☐ 의 자리의 숫자이고, ☐ 을 나타냅니다.

3은 ☐ 의 자리의 숫자이고, ☐ 을 나타냅니다.

☐ 은 일의 자리의 숫자이고, ☐ 을 나타냅니다.

핵심 2 뛰어서 세기

- 1000씩 뛰어서 세면 천의 자리의 숫자가 1씩 커집니다.

  [2000]—[3000]—[4000]—[5000]—[6000]—[7000]

- 100씩 뛰어서 세면 백의 자리의 숫자가 1씩 커집니다.

  [2100]—[2200]—[2300]—[2400]—[2500]—[2600]

- 10씩 뛰어서 세면 십의 자리의 숫자가 1씩 커집니다.

  [2010]—[2020]—[2030]—[2040]—[2050]—[2060]

- 1씩 뛰어서 세면 일의 자리의 숫자가 1씩 커집니다.

  [2501]—[2502]—[2503]—[2504]—[2505]—[2506]

지금 부터 풀어 볼까요?

✿ 1000씩 뛰어서 세어 보시오. (1~4)

1 [3005]—[4005]—[5005]—[   ]—[   ]—[   ]

2 [1786]—[   ]—[3786]—[4786]—[   ]—[   ]

3 [2931]—[   ]—[   ]—[5931]—[6931]—[   ]

4 [4799]—[5799]—[   ]—[   ]—[   ]—[9799]

✿ 100씩 뛰어서 세어 보시오. (5~7)

5 5500 — 5600 — ☐ — 5800 — ☐ — ☐

6 4362 — 4462 — ☐ — ☐ — ☐ — 4862

7 ☐ — 6929 — ☐ — ☐ — 7229 — 7329

✿ 10씩 뛰어서 세어 보시오. (8~10)

8 4320 — 4330 — ☐ — ☐ — 4360 — ☐

9 6144 — 6154 — ☐ — ☐ — 6184 — ☐

10 5751 — ☐ — ☐ — 5781 — 5791 — ☐

✿ 1씩 뛰어서 세어 보시오. (11~13)

11 2806 — 2807 — ☐ — ☐ — 2810 — ☐

12 3096 — 3097 — ☐ — 3099 — ☐ — ☐

13 ☐ — ☐ — 9997 — ☐ — 9999 — ☐

시간	1~8분	8~9분	9~10분	10~11분	11~12분	점수 A + 점수 B	9~10점	7~8점	1~6점
점수 A	5	4	3	2	1				
맞은 개수	18~20개	15~17개	12~14개	9~11개	1~8개		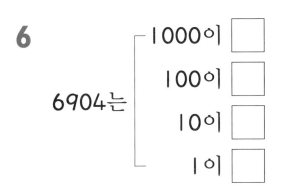		
점수 B	5	4	3	2	1		참 잘했어요	잘했어요	좀더 노력하세요

🌷 □ 안에 알맞은 수를 써넣으시오. (1~12)

1 1000이 2
100이 5 이면 □
10이 7
1이 9

2 1000이 6
100이 7 이면 □
10이 3
1이 2

3 1000이 4
100이 6 이면 □
10이 5
1이 0

4 4829는
1000이 □
100이 □
10이 □
1이 □

5 8945는
1000이 □
100이 □
10이 □
1이 □

6 6904는
1000이 □
100이 □
10이 □
1이 □

7 8237에서 □은 천의 자리의 숫자이고, □을 나타냅니다.

8 7260에서 □은 천의 자리의 숫자이고, □을 나타냅니다.

9 2659에서 □은 백의 자리의 숫자이고, □을 나타냅니다.

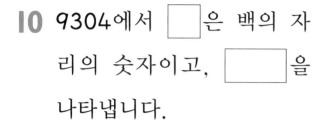
10 9304에서 ☐ 은 백의 자리의 숫자이고, ☐ 을 나타냅니다.

11 2165에서 ☐ 은 십의 자리의 숫자이고, ☐ 을 나타냅니다.

12 5096에서 ☐ 은 일의 자리의 숫자이고, ☐ 을 나타냅니다.

🌷 1000씩 뛰어서 세어 보시오.
(13~14)

13 | 2605 | 3605 | ☐ |
| | 5605 | ☐ | ☐ |

14 | 4954 | ☐ | ☐ |
| | 7954 | 8954 | ☐ |

🌷 100씩 뛰어서 세어 보시오.
(15~16)

15 | 1730 | 1830 | ☐ |
| | 2030 | ☐ | |

16 | 3945 | ☐ | ☐ |
| | 4245 | 4345 | ☐ |

🌷 10씩 뛰어서 세어 보시오.
(17~18)

17 | 3927 | 3937 | ☐ |
| | ☐ | ☐ | 3977 |

18 | 5270 | ☐ | ☐ |
| | 5300 | ☐ | 5320 |

🌷 1씩 뛰어서 세어 보시오.
(19~20)

19 | 9450 | 9451 | ☐ |
| | 9453 | ☐ | ☐ |

20 | ☐ | 8967 | 8968 |
| | ☐ | ☐ | 8971 |

7

곱셈

핵심 1 묶어서 세어 보기

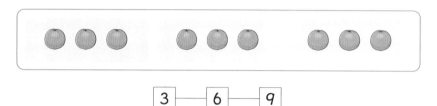

3씩 묶어세기는 3씩 더하면서 세는 것입니다.
3+3+3=9

핵심 2 곱셈 알아보기

5씩 4묶음은 5×4라고 합니다.
5×4를 5 곱하기 4라고 합니다.
5+5+5+5=20
5×4=20

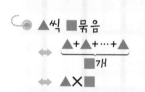

▲씩 ■묶음

⇔ $\underbrace{▲+▲+\cdots+▲}_{■개}$

⇒ ▲×■

핵심 3 곱셈식 알아보기

6씩 3묶음은 18입니다.
이것을 6×3=18이라 쓰고, 6 곱하기 3은 18과 같습니다라
고 읽습니다.
이러한 식을 곱셈식이라고 합니다.
18을 6과 3의 곱이라고 합니다.

핵심 4 몇 배 알아보기

 의 4배 ➡

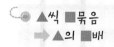

▲씩 ■묶음

➡ ▲의 ■배

3씩 4묶음은 3의 4배와 같습니다.
3의 4배는 12입니다. ➡ 3×4=12

시간	1~3분	3~4분	4~5분	점수 A + 점수 B	8~10점	5~7점	1~4점
점수 A	5	3	1				
맞은 개수	7~8개	5~6개	1~4개		참 잘했어요	잘했어요	좀더 노력하세요
점수 B	5	3	1				

 **1** 묶어서 세어 보기

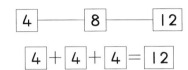

$4 + 4 + 4 = 12$

4씩 묶어세기는 4씩 더하면서 세는 것입니다.

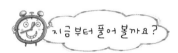 지금 부터 풀어 볼까요?

❋ 묶어서 세어 보시오. (1~8)

1

□ — □ — □

□ + □ + □ = □

2

□ — □ — □

□ + □ + □ = □

3

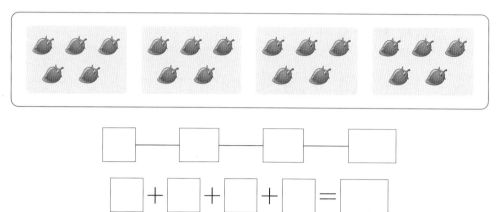

$$\boxed{} - \boxed{} - \boxed{} - \boxed{}$$

$$\boxed{} + \boxed{} + \boxed{} + \boxed{} = \boxed{}$$

4

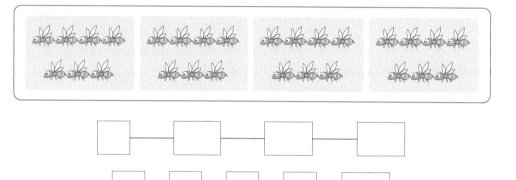

$$\boxed{} - \boxed{} - \boxed{} - \boxed{}$$

$$\boxed{} + \boxed{} + \boxed{} + \boxed{} = \boxed{}$$

5

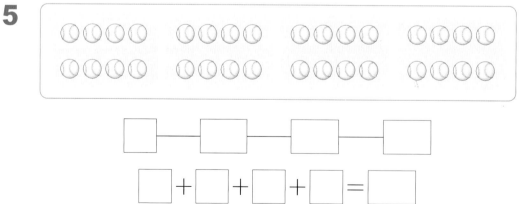

$$\boxed{} - \boxed{} - \boxed{} - \boxed{}$$

$$\boxed{} + \boxed{} + \boxed{} + \boxed{} = \boxed{}$$

6

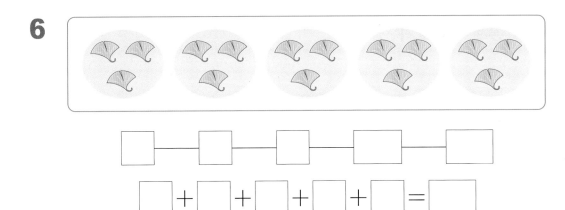

$\square$ — $\square$ — $\square$ — $\square$ — $\square$

$\square$ + $\square$ + $\square$ + $\square$ + $\square$ = $\square$

7

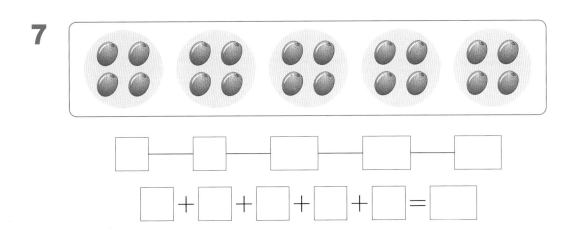

$\square$ — $\square$ — $\square$ — $\square$ — $\square$

$\square$ + $\square$ + $\square$ + $\square$ + $\square$ = $\square$

8

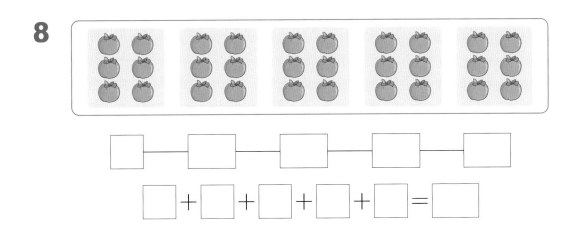

$\square$ — $\square$ — $\square$ — $\square$ — $\square$

$\square$ + $\square$ + $\square$ + $\square$ + $\square$ = $\square$

시간	1~3분	3~4분	4~5분	점수A + 점수B	8~10점	5~7점	1~4점
점수 A	5	3	1				
맞은 개수	11~13개	8~10개	1~7개		참 잘했어요	잘했어요	좀더 노력하세요
점수 B	5	3	1				

핵심 2 곱셈 알아보기

5씩 3묶음이므로

$\boxed{5} + \boxed{5} + \boxed{5} = \boxed{5} \times \boxed{3}$

 지금 부터 풀어 볼까요 ?

1

$\boxed{} + \boxed{} + \boxed{}$

$= \boxed{} \times \boxed{}$

2

$\boxed{} + \boxed{}$

$= \boxed{} \times \boxed{}$

3

$\boxed{} + \boxed{} + \boxed{} + \boxed{}$

$= \boxed{} \times \boxed{}$

4

$\square + \square + \square + \square$

$= \square \times \square$

5

$\square + \square + \square + \square$

$= \square \times \square$

6

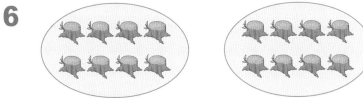

$\square + \square$

$= \square \times \square$

7

$\square + \square + \square$

$= \square \times \square$

8

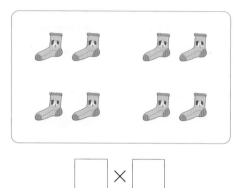

☐ × ☐

9

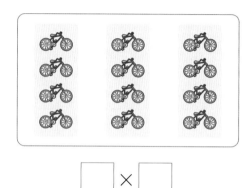

☐ × ☐

10

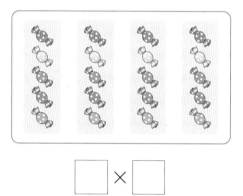

☐ × ☐

11

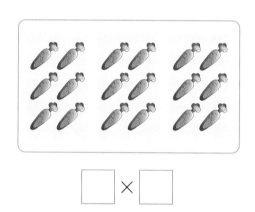

☐ × ☐

12

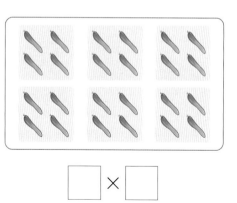

☐ × ☐

13

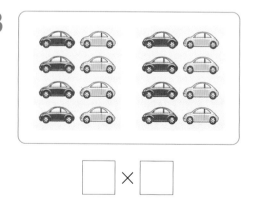

☐ × ☐

시간	1~3분	3~4분	4~5분	점수 A + 점수 B	8~10점	5~7점	1~4점
점수 A	5	3	1				
맞은 개수	12~14개	9~11개	1~8개		참 잘했어요	잘했어요	좀더 노력하세요
점수 B	5	3	1				

6 씩 2 묶음은 12

➡ 6 × 2 = 12

$$7+7+7+7=28 \Rightarrow 7 \times 4 = 28$$
4번

같은 수를 여러 번 더하는 덧셈식은 곱셈식으로 나타낼 수 있습니다.

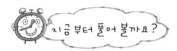
지금 부터 풀어 볼까요?

1

☐ 씩 ☐ 묶음은 ☐

➡ ☐ × ☐ = ☐

2

☐ 씩 ☐ 묶음은 ☐

➡ ☐ × ☐ = ☐

3

☐ 씩 ☐ 묶음은 ☐

➡ ☐ × ☐ = ☐

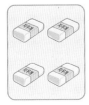

4

□ 씩 □ 묶음은 □

➡ □ × □ = □

5

□ 씩 □ 묶음은 □

➡ □ × □ = □

6

□ 씩 □ 묶음은 □

➡ □ × □ = □

7

□ 씩 □ 묶음은 □

➡ □ × □ = □

8 $2+2+2=6$ ➡ $\boxed{} \times \boxed{} = \boxed{}$

9 $3+3+3+3+3=15$ ➡ $\boxed{} \times \boxed{} = \boxed{}$

10 $6+6+6+6=24$ ➡ $\boxed{} \times \boxed{} = \boxed{}$

11 $5+5+5+5+5+5=30$ ➡ $\boxed{} \times \boxed{} = \boxed{}$

12 $8+8+8+8=32$ ➡ $\boxed{} \times \boxed{} = \boxed{}$

13 $7+7+7+7+7+7=42$ ➡ $\boxed{} \times \boxed{} = \boxed{}$

14 $9+9+9+9+9=45$ ➡ $\boxed{} \times \boxed{} = \boxed{}$

시간	1~3분	3~4분	4~5분	점수A + 점수B	8~10점	5~7점	1~4점
점수 A	5	3	1				
맞은 개수	15~17개	10~14개	1~9개		참 잘했어요	잘했어요	좀더 노력하세요
점수 B	5	3	1				

핵심 4 몇 배 알아보기

4의 3배는 ☐12 입니다.

➡ 4 × ☐3 = ☐12

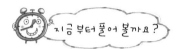

1   은 ⬭ 의 ☐ 배입니다.

2   ▢ 은 ▢ 의 ☐ 배입니다.

3   은 의 ☐ 배입니다.

4

2의 3배는 ☐ 입니다.

➡ 2 × ☐ = ☐

5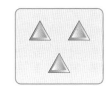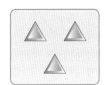

3의 2배는 ☐ 입니다.

➡ 3 × ☐ = ☐

6

4의 ☐ 배는 ☐ 입니다.

➡ 4 × ☐ = ☐

7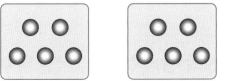

5의 ☐ 배는 ☐ 입니다.

➡ 5 × ☐ = ☐

8 3의 3배는 ⬚ 입니다.

➡ 3 × ⬚ = ⬚

9 2의 4배는 ⬚ 입니다.

➡ 2 × ⬚ = ⬚

10 4의 3배는 ⬚ 입니다.

➡ 4 × ⬚ = ⬚

11 7의 2배는 ⬚ 입니다.

➡ 7 × ⬚ = ⬚

12 6의 2배는 ⬚ 입니다.

➡ 6 × ⬚ = ⬚

13 3의 4배는 ⬚ 입니다.

➡ 3 × ⬚ = ⬚

14 5의 3배는 ⬚ 입니다.

➡ ⬚ × ⬚ = ⬚

15 4의 4배는 ⬚ 입니다.

➡ ⬚ × ⬚ = ⬚

16 8의 2배는 ⬚ 입니다.

➡ ⬚ × ⬚ = ⬚

17 6의 3배는 ⬚ 입니다.

➡ ⬚ × ⬚ = ⬚

시간	1~4분	4~5분	5~6분	6~7분	7~8분	점수 A + 점수 B	9~10점	7~8점	1~6점
점수 A	5	4	3	2	1				
맞은 개수	18~20개	15~17개	12~14개	9~11개	1~8개		참 잘했어요	잘했어요	좀더 노력하세요
점수 B	5	4	3	2	1				

🌷 ☐ 안에 알맞은 수를 써넣으시오. (1~20)

1

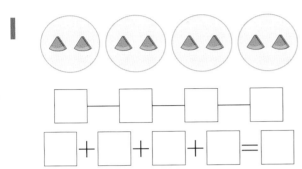

☐ — ☐ — ☐ — ☐

☐ + ☐ + ☐ + ☐ = ☐

2

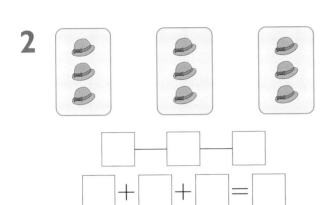

☐ — ☐ — ☐

☐ + ☐ + ☐ = ☐

3

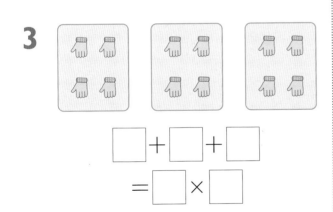

☐ + ☐ + ☐

= ☐ × ☐

4

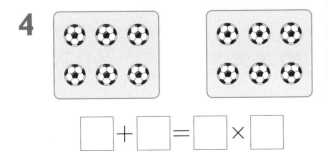

☐ + ☐ = ☐ × ☐

5

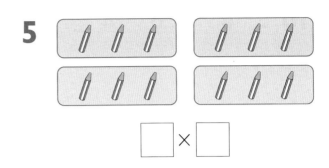

☐ × ☐

6

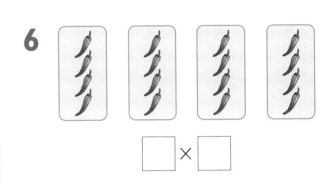

☐ × ☐

7

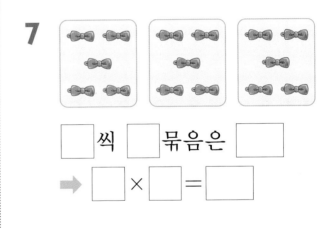

☐ 씩 ☐ 묶음은 ☐

➡ ☐ × ☐ = ☐

8 2+2+2+2+2=10

➡ ☐ × ☐ = ☐

9 5+5+5+5=20

➡ ☐ × ☐ = ☐

 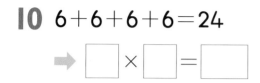

10 6+6+6+6=24

➡ □ × □ = □

11 7+7+7+7+7=35

➡ □ × □ = □

12 9+9+9=27

➡ □ × □ = □

13 8+8+8+8+8=40

➡ □ × □ = □

14

4의 3배는 □ 입니다.

➡ 4 × □ = □

15 2의 3배는 □ 입니다.

➡ 2 × □ = □

16 4의 2배는 □ 입니다.

➡ 4 × □ = □

17 5의 3배는 □ 입니다.

➡ 5 × □ = □

18 3의 4배는 □ 입니다.

➡ □ × □ = □

19 6의 3배는 □ 입니다.

➡ □ × □ = □

20 8의 2배는 □ 입니다.

➡ □ × □ = □

8

곱셈구구

핵심 1 곱셈구구

- 2의 단 곱셈구구에서는 곱하는 수가 1씩 커지면 곱은 2씩 커집니다.

  $2 \times 1 = 2$, $2 \times 2 = 4$, $2 \times 3 = 6$, $2 \times 4 = 8$, …

- 3의 단 곱셈구구에서는 곱하는 수가 1씩 커지면 곱은 3씩 커집니다.

  $3 \times 1 = 3$, $3 \times 2 = 6$, $3 \times 3 = 9$, $3 \times 4 = 12$, …

- 4의 단 곱셈구구에서는 곱하는 수가 1씩 커지면 곱은 4씩 커집니다.

  $4 \times 1 = 4$, $4 \times 2 = 8$, $4 \times 3 = 12$, $4 \times 4 = 16$, …

- 5의 단 곱셈구구에서는 곱하는 수가 1씩 커지면 곱은 5씩 커집니다.

  $5 \times 1 = 5$, $5 \times 2 = 10$, $5 \times 3 = 15$, $5 \times 4 = 20$, …

- 6의 단 곱셈구구에서는 곱하는 수가 1씩 커지면 곱은 6씩 커집니다.

  $6 \times 1 = 6$, $6 \times 2 = 12$, $6 \times 3 = 18$, $6 \times 4 = 24$, …

- 7의 단 곱셈구구에서는 곱하는 수가 1씩 커지면 곱은 7씩 커집니다.

  $7 \times 1 = 7$, $7 \times 2 = 14$, $7 \times 3 = 21$, $7 \times 4 = 28$, …

- 8의 단 곱셈구구에서는 곱하는 수가 1씩 커지면 곱은 8씩 커집니다.

  $8 \times 1 = 8$, $8 \times 2 = 16$, $8 \times 3 = 24$, $8 \times 4 = 32$, …

- 9의 단 곱셈구구에서는 곱하는 수가 1씩 커지면 곱은 9씩 커집니다.

  $9 \times 1 = 9$, $9 \times 2 = 18$, $9 \times 3 = 27$, $9 \times 4 = 36$, …

2의 단 곱셈구구는 2씩 같은 수를 더하거나 2씩 묶어세기와 같습니다.

■의 단 곱셈구구에서는 곱하는 수가 1씩 커지면 곱은 ■씩 커집니다.

핵심 2 1의 단 곱셈구구와 0의 곱

- 1과 어떤 수의 곱은 어떤 수가 됩니다.
- 어떤 수와 0의 곱, 0과 어떤 수의 곱은 항상 0이 됩니다.

$1 \times 2 = 2$ $1 \times 6 = 6$

$2 \times 0 = 0$ $0 \times 3 = 0$

시간	1~2분	2~3분	3~4분	점수 A + 점수 B	8~10점	5~7점	1~4점
점수 A	5	3	1		😺	😺	😺
맞은 개수	12~14개	8~11개	1~7개		참 잘했어요	잘했어요	좀더 노력하세요
점수 B	5	3	1				

핵심 1-1 2의 단 곱셈구구

$2 \times 2 = 4$

$2 \times 3 = 6$

$2 \times 4 = 8$

×	1	2	3	4	5	6	7	8	9
2	2	4	6	8	10	12	14	16	18

➡ 2의 단 곱셈구구는 곱이 2씩 커집니다.

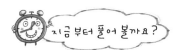
지금부터 풀어 볼까요?

1

$2 \times 2 = \boxed{}$

2

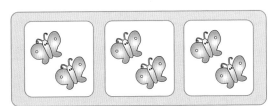

$2 \times 3 = \boxed{}$

3

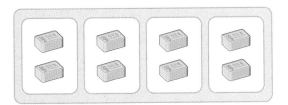

$2 \times 4 = \boxed{}$

4

$2 \times 5 = \boxed{}$

5

$2 \times 6 = \boxed{}$

6

$2 \times 9 = \boxed{}$

7 $2 \times 2 =$

8 $2 \times 3 =$

9 $2 \times 4 =$

10 $2 \times 5 =$

11 $2 \times 6 =$

12 $2 \times 7 =$

13 $2 \times 8 =$

14 $2 \times 9 =$

핵심 1-2 3의 단 곱셈구구

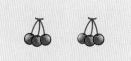　　　　

$3 \times 2 = 6$　　　　$3 \times 3 = 9$　　　　$3 \times 4 = 12$

×	1	2	3	4	5	6	7	8	9
3	3	6	9	12	15	18	21	24	27

➡ 3의 단 곱셈구구는 곱이 3씩 커집니다.

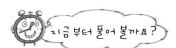 지금부터 풀어 볼까요?

1

$3 \times 2 = \boxed{}$

2

$3 \times 3 = \boxed{}$

3

$3 \times 4 = \boxed{}$

4

$3 \times 5 = \boxed{}$

5

$$3 \times 7 = \boxed{}$$

6

$$3 \times 8 = \boxed{}$$

7 $3 \times 2 =$

8 $3 \times 3 =$

9 $3 \times 4 =$

10 $3 \times 5 =$

11 $3 \times 6 =$

12 $3 \times 7 =$

13 $3 \times 8 =$

14 $3 \times 9 =$

핵심 1-3 4의 단 곱셈구구

$4 \times 2 = 8$ $4 \times 3 = 12$ $4 \times 4 = 16$

×	1	2	3	4	5	6	7	8	9
4	4	8	12	16	20	24	28	32	36

➡ 4의 단 곱셈구구는 곱이 4씩 커집니다.

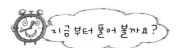
지금부터 풀어 볼까요?

1

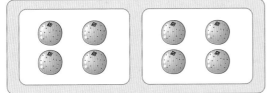

$4 \times 2 = \boxed{}$

2

$4 \times 3 = \boxed{}$

3

$4 \times 4 = \boxed{}$

4

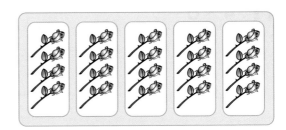

$4 \times 5 = \boxed{}$

5

$4 \times 8 =$ ☐

6

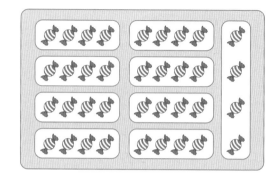

$4 \times 9 =$ ☐

7 $\quad 4 \times 2 =$

8 $\quad 4 \times 3 =$

9 $\quad 4 \times 4 =$

10 $\quad 4 \times 5 =$

11 $\quad 4 \times 6 =$

12 $\quad 4 \times 7 =$

13 $\quad 4 \times 8 =$

14 $\quad 4 \times 9 =$

핵심 1-4 5의 단 곱셈구구

$5 \times 2 = 10$ $5 \times 3 = 15$ $5 \times 4 = 20$

×	1	2	3	4	5	6	7	8	9
5	5	10	15	20	25	30	35	40	45

➡ 5의 단 곱셈구구는 곱이 5씩 커집니다.

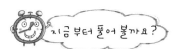
지금부터 풀어 볼까요?

1

$5 \times 3 = \boxed{}$

2

$5 \times 4 = \boxed{}$

3

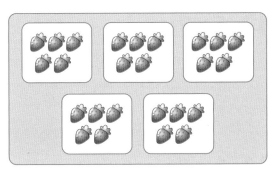

$5 \times 5 = \boxed{}$

4

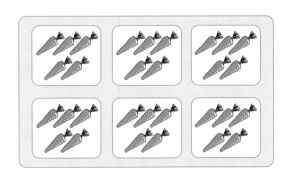

$5 \times 6 = \boxed{}$

5

$5 \times 7 =$ ☐

6

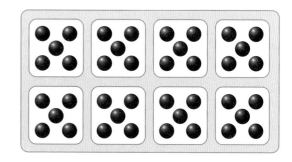

$5 \times 8 =$ ☐

7 $5 \times 2 =$

8 $5 \times 3 =$

9 $5 \times 4 =$

10 $5 \times 5 =$

11 $5 \times 6 =$

12 $5 \times 7 =$

13 $5 \times 8 =$

14 $5 \times 9 =$

핵심 1-5 6의 단 곱셈구구

$$6 \times 2 = 12$$

$$6 \times 3 = 18$$

$$6 \times 4 = 24$$

×	1	2	3	4	5	6	7	8	9
6	6	12	18	24	30	36	42	48	54

➡ 6의 단 곱셈구구는 곱이 6씩 커집니다.

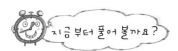
지금 부터 풀어 볼까요?

1

$$6 \times 2 = \boxed{}$$

2

$$6 \times 3 = \boxed{}$$

3

$$6 \times 4 = \boxed{}$$

4

$$6 \times 5 = \boxed{}$$

5

$6 \times 6 =$ ☐

6

$6 \times 7 =$ ☐

7 $6 \times 2 =$

8 $6 \times 3 =$

9 $6 \times 4 =$

10 $6 \times 5 =$

11 $6 \times 6 =$

12 $6 \times 7 =$

13 $6 \times 8 =$

14 $6 \times 9 =$

핵심 1-6 7의 단 곱셈구구

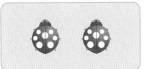

$7 \times 2 = 14$

$7 \times 3 = 21$

$7 \times 4 = 28$

×	1	2	3	4	5	6	7	8	9
7	7	14	21	28	35	42	49	56	63

➡ 7의 단 곱셈구구는 곱이 **7**씩 커집니다.

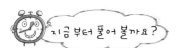

지금 부터 풀어 볼까요?

1

$7 \times 2 = \boxed{}$

2

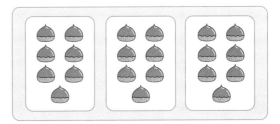

$7 \times 3 = \boxed{}$

3

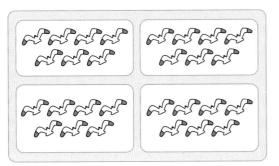

$7 \times 4 = \boxed{}$

4

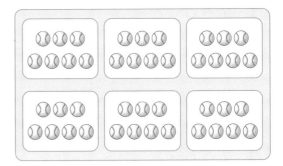

$7 \times 6 = \boxed{}$

5

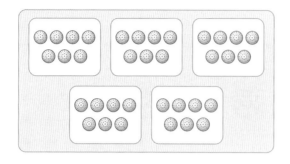

$7 \times 5 =$ ☐

6

$7 \times 7 =$ ☐

7 $7 \times 2 =$

8 $7 \times 3 =$

9 $7 \times 4 =$

10 $7 \times 5 =$

11 $7 \times 6 =$

12 $7 \times 7 =$

13 $7 \times 8 =$

14 $7 \times 9 =$

핵심 1-7 8의 단 곱셈구구

$8 \times 2 = 16$ $8 \times 3 = 24$ $8 \times 4 = 32$

×	1	2	3	4	5	6	7	8	9
8	8	16	24	36	40	48	56	64	72

➡ 8의 단 곱셈구구는 곱이 8씩 커집니다.

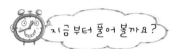 지금 부터 풀어 볼까요?

1

$8 \times 2 = \boxed{}$

2

$8 \times 3 = \boxed{}$

3

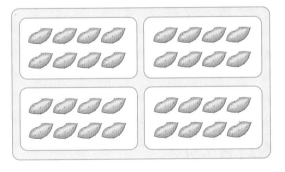

$8 \times 4 = \boxed{}$

4

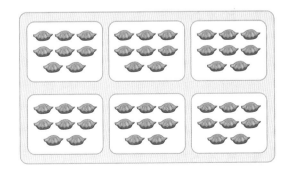

$8 \times 6 = \boxed{}$

5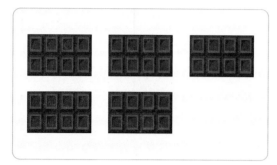

$8 \times 5 =$ ☐

6

$8 \times 9 =$ ☐

7 $8 \times 2 =$

8 $8 \times 3 =$

9 $8 \times 4 =$

10 $8 \times 5 =$

11 $8 \times 6 =$

12 $8 \times 7 =$

13 $8 \times 8 =$

14 $8 \times 9 =$

2학년이 꼭 알아야 할 수와 연산

핵심 1-8 9의 단 곱셈구구

$9 \times 2 = 18$　　　$9 \times 3 = 27$　　　$9 \times 4 = 36$

×	1	2	3	4	5	6	7	8	9
9	9	18	27	36	45	54	63	72	81

➡ 9의 단 곱셈구구는 곱이 9씩 커집니다.

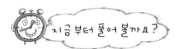

지금 부터 풀어 볼까요?

1

$9 \times 2 = \boxed{}$

2

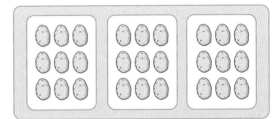

$9 \times 3 = \boxed{}$

3

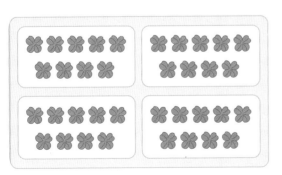

$9 \times 4 = \boxed{}$

4

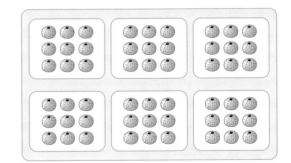

$9 \times 6 = \boxed{}$

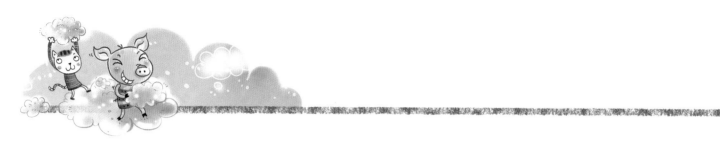

5

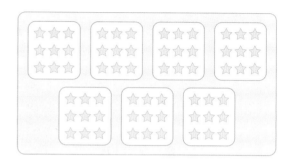

$9 \times 5 =$ ☐

6

$9 \times 7 =$ ☐

7 $9 \times 2 =$

8 $9 \times 3 =$

9 $9 \times 4 =$

10 $9 \times 5 =$

11 $9 \times 6 =$

12 $9 \times 7 =$

13 $9 \times 8 =$

14 $9 \times 9 =$

시간	1분	1~2분	2~3분	점수 A + 점수 B	8~10점	5~7점	1~4점
점수 A	5	3	1				
맞은 개수	8~9개	5~7개	1~4개		참 잘했어요	잘했어요	좀더 노력하세요
점수 B	5	3	1				

핵심 2-1 1의 단 곱셈구구

×	1	2	3	4	5	6	7	8	9
1	1	2	3	4	5	6	7	8	9

➡ 1과 어떤 수의 곱은 어떤 수 자신이 됩니다.
$$1 \times (어떤\ 수) = (어떤\ 수)$$

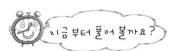 지금부터 풀어 볼까요?

1 $1 \times 5 = \square + \square + \square + \square + \square = \square$

2 $1 \times 2 =$

3 $1 \times 7 =$

4 $1 \times 8 =$

5 $1 \times 6 =$

6 $1 \times 9 =$

7 $1 \times 4 =$

8 $1 \times 3 =$

9 $1 \times 1 =$

시간	1분	1~2분	2~3분	점수A + 점수B	8~10점	5~7점	1~4점
점수A	5	3	1				
맞은 개수	9~10개	6~8개	1~5개		참 잘했어요	잘했어요	좀더 노력하세요
점수B	5	3	1				

핵심 2-2 0의 곱

×	1	2	3	4	5	6	7	8	9
0	0	0	0	0	0	0	0	0	0

➡ 어떤 수와 0의 곱, 0과 어떤 수의 곱은 항상 0이 됩니다.
(어떤 수)×0=0   0×(어떤 수)=0

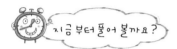

1 $2 \times 0 =$

2 $7 \times 0 =$

3 $4 \times 0 =$

4 $3 \times 0 =$

5 $8 \times 0 =$

6 $5 \times 0 =$

7 $0 \times 1 =$

8 $0 \times 9 =$

9 $0 \times 6 =$

10 $0 \times 7 =$

시간	1~2분	2~3분	3~4분	4~5분	5~6분	점수 A + 점수 B	9~10점	7~8점	1~6점
점수 A	5	4	3	2	1				
맞은 개수	18~20개	15~17개	12~14개	9~11개	1~8개		참 잘했어요	잘했어요	좀더 노력하세요
점수 B	5	4	3	2	1				

🌷 곱셈을 하시오. (1~20)

1

$2 \times 5 =$ ☐

2 $3 \times 4 =$

3 $2 \times 8 =$

4 $3 \times 7 =$

5

$4 \times 3 =$ ☐

6 $5 \times 6 =$

7 $4 \times 7 =$

8 $5 \times 9 =$

9

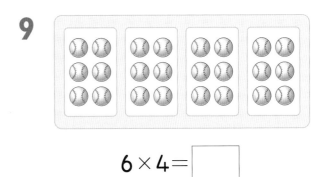

$6 \times 4 =$ ☐

10 $7 \times 2 =$

11 $6 \times 8 =$

12 $7 \times 5 =$

13

8×2= ☐

14 $9 \times 6 =$

15 $8 \times 4 =$

16 $9 \times 8 =$

17 $1 \times 7 =$

18 $1 \times 5 =$

19 $3 \times 0 =$

20 $0 \times 9 =$

Memo

Memo

꼭 ✓ 알아야 할

수학 연산

2학년이 꼭 ✓ 알아야 한

수와 연산

정답과 풀이

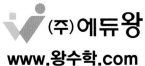

(주)에듀왕
www.왕수학.com

정답

2 학년

1 세 자리 수

핵심 1   7~8쪽

1 99　　　　　**2** 100

3 100　　　　**4** 100

5 100, 백　　**6** 60, 80, 100

7 96, 99, 100　**8** 400

9 600　　　　**10** 800

11 200, 이백　　**12** 500, 오백

13 700, 칠백　　**14** 900, 구백

15 3　　　　　**16** 8

17 500, 600　　**18** 300, 500

핵심 2-1   9~10쪽

1 235　　　　**2** 329

3 417　　　　**4** 562

5 663　　　　**6** 749

7 821　　　　**8** 908

9 1, 3, 2　　　**10** 2, 9, 5

11 3, 7, 1　　　**12** 4, 2, 8

13 5, 6, 4　　　**14** 6, 3, 7

15 7, 0, 6　　　**16** 8, 3, 8

17 9, 7, 8　　　**18** 9, 6, 0

핵심 2-2   11~12쪽

1 200, 60, 7　　**2** 500, 30, 9

3 800, 70, 4

4 백, 100, 십, 40, 일, 5

5 백, 300, 십, 20, 일, 6

6 백, 500, 십, 80, 일, 4

7 백, 700, 십, 50, 일, 8

8 백, 800, 십, 10, 일, 9

핵심 3   13~14쪽

1 400, 600

2 240, 440, 540

3 365, 565, 765

4 372, 672, 872

5 150, 160, 180

6 350, 370, 390

7 490, 510, 520

8 573, 593, 613

9 242, 244, 246

10 361, 362, 364

11 587, 590, 592

12 996, 998, 1000

핵심 4   15~16쪽

1 >　　　　　**2** <

3 > **4** <

5 큽니다. **6** 작습니다.

7 635<754 **8** 539>526

9 439<442 **10** 736>734

11 > **12** <

13 < **14** >

15 384 ▷ 432 ◯ **16** 417 ▷ 428 ◯

17 520 ▷ 529 ◯ **18** 293 ▷ 315 ◯

단원 마무리평가 17~18쪽

1 100 **2** 300, 500

3 사백, 칠백 **4** 600, 900

5 714 **6** 108

7 5, 3, 1 **8** 8, 0, 3

9 3, 300 **10** 5, 50

11 6, 6

12 360, 560, 760

13 336, 536, 636

14 435, 445, 475

15 657, 667, 687

16 313, 315, 317

17 549, 550, 553

18 < **19** >

20 462

2 두 자리 수의 덧셈

핵심 1-1 21~22쪽

1 1, 5, 1, 3, 5 **2** 1, 4, 2

3 1, 5, 1 **4** 1, 6, 1

5 1, 3, 4 **6** 31

7 41 **8** 52

9 63 **10** 73

11 86 **12** 95

13 71 **14** 21

15 63 **16** 84

17 97

핵심 1-2 23쪽

1 21, 21 **2** 32, 32

3 45 **4** 51

5 61 **6** 73

7 82 **8** 92

9 50 **10** 72

핵심 2-1 24~25쪽

1 1, 1, 1, 4, 1 **2** 1, 5, 1

3 1, 5, 2 **4** 1, 7, 4

5 1, 9, 4 **6** 32

7 51 **8** 72

9 71   **10** 70

11 84   **12** 81

13 80   **14** 96

15 95   **16** 93

17 96

핵심 2-2   26 ~ 27쪽

1 1, 3, 1, 1, 2, 3

2 1, 1, 2, 1   **3** 1, 1, 3, 3

4 1, 1, 6, 0   **5** 1, 1, 1, 5

6 111   **7** 101

8 120   **9** 121

10 134   **11** 142

12 143   **13** 144

14 155   **15** 166

16 171   **17** 182

핵심 2-3   28쪽

1 42, 42   **2** 126, 126

3 62   **4** 61

5 96   **6** 97

7 103   **8** 110

9 121   **10** 167

핵심 3   29 ~ 30쪽

1 58, 63 / 20, 5, 20, 58, 63

2 50, 13, 63 / 20, 5, 20, 8, 50, 13, 63

3 23, 40, 63 / 2, 23, 2, 40, 63

4 58, 58, 64   **5** 20, 54, 62

6 60, 14, 60, 14, 74

7 20, 9, 60, 15, 75

8 40, 40, 54

9 2, 22, 60, 22, 82

10 예 $57+26$

$=(50+20)+(7+6)$

$=70+13$

$=83$

예 $57+26$

$=57+3+23$

$=60+23$

$=83$

11 예 $34+29$

$=34+20+9$

$=54+9$

$=63$

예 $34+29$

$=(30+20)+(4+9)$

$=50+13$

$=63$

단원 마무리 평가
31~32쪽

1 1, 2, 2 **2** 31

3 42 **4** 54, 54

5 87 **6** 43

7 1, 6, 0 **8** 71

9 85 **10** 73, 73

11 62 **12** 73

13 1, 1, 2, 5 **14** 131

15 100 **16** 121, 121

17 177

18 예 65+29
　　=65+20+9
　　=85+9
　　=94
　　예 65+29
　　=60+20+5+9
　　=80+14
　　=94

19 예 48+37
　　=48+2+35
　　=50+35
　　=85
　　예 48+37
　　=40+30+8+7
　　=70+15
　　=85

20 예 65+49
　　=60+40+5+9
　　=100+14
　　=114
　　예 65+49
　　=65+40+9
　　=105+9
　　=114

③ 두 자리 수의 뺄셈

핵심 1-1
35~36쪽

1 1, 10, 7, 1, 10, 1, 7
2 2, 10, 2, 8 **3** 3, 10, 3, 8
4 5, 10, 5, 8 **5** 6, 10, 6, 3
6 17 **7** 25
8 36 **9** 38
10 45 **11** 48
12 58 **13** 66
14 69 **15** 78
16 79 **17** 86

핵심 1-2 37쪽

1 17, 17 **2** 23, 23

3 19 **4** 27

5 39 **6** 38

7 47 **8** 46

9 52 **10** 67

핵심 2-1 38~39쪽

1 3, 10, 2, 3, 10, 2, 2

2 4, 10, 1, 8 **3** 6, 10, 2, 5

4 5, 10, 3, 6 **5** 7, 10, 4, 4

6 4 **7** 12

8 16 **9** 24

10 37 **11** 45

12 18 **13** 41

14 43 **15** 46

16 28 **17** 22

핵심 2-2 40~41쪽

1 2, 10, 8, 2, 10, 1, 8

2 3, 10, 1, 9 **3** 4, 10, 2, 9

4 5, 10, 2, 7 **5** 6, 10, 2, 9

6 17 **7** 18

8 17 **9** 18

10 19 **11** 34

12 29 **13** 38

14 58 **15** 67

16 78 **17** 29

핵심 2-3 42쪽

1 17, 17 **2** 26, 26

3 19 **4** 28

5 36 **6** 29

7 27 **8** 29

9 18 **10** 58

핵심 3 43~44쪽

1 36, 27 / 20, 9, 20, 36, 27

2 26, 27 / 30, 1, 30, 26, 27

3 50, 27 / 6, 23, 6, 50, 27

4 56, 56, 47 **5** 20, 45, 38

6 14, 14, 16 **7** 30, 46, 47

8 60, 60, 38 **9** 2, 80, 44

10 예 $65-19$

$=65-10-9$

$=55-9$

$=46$

예 $65-19$

$=65-20+1$

$=45+1$

$=46$

11 ㉠ $73-46$

$\qquad = 73-3-43$

$\qquad = 70-43$

$\qquad = 27$

㉠ $73-46$

$\qquad = 73-40-6$

$\qquad = 33-6$

$\qquad = 27$

㉠ $84-46$

$\qquad = 84-40-6$

$\qquad = 44-6$

$\qquad = 38$

단원 마무리평가 45~46쪽

I	1, 10, 1, 8	**2**	2, 10, 2, 9
3	49	**4**	54
5	66	**6**	19, 19
7	36, 36	**8**	7, 10, 5, 3
9	27	**10**	24
11	2, 10, 1, 5	**12**	3, 10, 1, 6
13	38	**14**	36
15	19, 19	**16**	27, 27
17	2, 33, 35	**18**	3, 60, 36
19	30, 22, 16		

20 ㉠ $84-46$

$\qquad = 84-4-42$

$\qquad = 80-42$

$\qquad = 38$

4 덧셈과 뺄셈의 관계

핵심 1-1 49~50쪽

1 6 / 6, 24

2 22, 14, 8 / 14, 22, 8, 14

3 42, 17, 25 / 25, 42, 42, 25, 17

4 12, 16   5 16, 24

6 42, 23, 42, 19

7 54, 16, 54, 38

8 62, 27, 62, 35

9 82, 49, 82, 33

10 42, 15, 27, 42, 27, 15

11 54, 35, 19, 54, 19, 35

12 66, 17, 49, 66, 49, 17

13 92, 38, 54, 92, 54, 38

핵심 1-2 51~52쪽

1 16 / 16, 16

2 17, 46 / 17, 17, 29, 46

3 44, 28, 72 / 72, 28, 44, 28, 72

4 15, 21   5 17, 25

6 22, 54, 32, 54

7 18, 43, 25, 43

8 13, 46, 33, 46

9 17, 33, 16, 33

10 12, 42, 54, 42, 12, 54

11 35, 38, 73, 38, 35, 73

12 46, 29, 75, 29, 46, 75

13 29, 53, 82, 53, 29, 82

22 □+17=49, 32

23 36+□=80, 44

24 □+46=72, 26

25 54+□=91, 37

26 48+□=76, 28

핵심 2-1 53~55쪽

1 17   2 60, 60, 24

3 53, 53, 29, 24

4 25   5 39

6 9   7 17

8 19   9 25

10 27   11 28

12 34   13 40

14 24   15 26

16 66   17 46

18 38   19 54

20 18   21 16

핵심 2-2 56~58쪽

1 14   2 28, 67, 39

3 42, 19, 23   4 33

5 23   6 24

7 24   8 47

9 14   10 19

11 38   12 61

13 69   14 63

15 92   16 92

17 63   18 91

19 85   20 93

21 72

22 83−□=51, 32

23 54−□=25, 29

24 92−□=65, 27

25 75−□=44, 31

26 95−□=39, 56

단원 마무리평가 59~60쪽

1 16, 23 **2** 63, 63

3 93, 93, 54

4 58, 26, 58, 32

5 82, 35, 82, 47

6 25, 32

7 26, 63, 37, 63

8 45, 78, 33, 78

9 24, 32, 56, 32, 24, 56

10 45, 47, 92, 47, 45, 92

11 27 **12** 63, 38, 25

13 32 **14** 43

15 47 **16** 31, 31, 22

17 44, 72, 44, 28

18 86 **19** 42

20 38

5 세 수의 계산

핵심 1-1 63~64쪽

1 23 / 16, 16, 23

2 34 / 31, 31, 34

3 57 / 42, 42, 57

4 82 / 49, 49, 82

5 96 / 54, 54, 96

6 80 / 52, 52, 80

7 77 / 27, 27, 77

8 70 / 38, 38, 70

9 84 / 73, 73, 84

10 75 / 63, 63, 75

11 60 / 36, 36, 60

12 91 / 69, 69, 91

13 66 / 51, 51, 66

14 70 / 39, 39, 70

핵심 1-2 65쪽

1 42, 49, 49 **2** 21, 50, 50

3 89 **4** 72

5 83 **6** 69

7 82 **8** 88

핵심 2-1 66~67쪽

1 25 / 29, 29, 25

2 28 / 37, 37, 28

3 31 / 46, 46, 31

4 29 / 47, 47, 29

5 18 / 37, 37, 18

6 38 / 55, 55, 38

7 27 / 52, 52, 27

8 45 / 57, 57, 45

9 58 / 69, 69, 58

10 22 / 46, 46, 22

11 22 / 63, 63, 22

12 13 / 25, 25, 13

13 14 / 27, 27, 14

14 27 / 64, 64, 27

9 30 / 42, 42, 30

10 30 / 66, 66, 30

11 81 / 66, 66, 81

12 46 / 32, 32, 46

13 43 / 17, 17, 43

14 54 / 41, 41, 54

핵심 2-2 68쪽

1 27, 18, 18 **2** 56, 39, 39

3 19 **4** 28

5 21 **6** 48

7 40 **8** 29

핵심 3-1 69~70쪽

1 28 / 40, 40, 28

2 19 / 48, 48, 19

3 49 / 65, 65, 49

4 42 / 25, 25, 42

5 52 / 36, 36, 52

6 65 / 47, 47, 65

7 22 / 36, 36, 22

8 59 / 86, 86, 59

핵심 3-2 71~72쪽

1 54, 42, 42 **2** 66, 28, 28

3 58, 43, 43 **4** 22, 71, 71

5 56, 69, 69 **6** 34, 67, 67

7 51 **8** 27

9 52 **10** 37

11 27 **12** 49

13 49 **14** 73

15 49 **16** 52

17 42 **18** 60

 단원 마무리 평가 73~74쪽

1 31 / 25, 25, 31

2 34, 63, 63

3 88 **4** 81

5 90 **6** 90

7 39 / 48, 48, 39

8 59, 16, 16   **9** 23

10 29   **11** 40

12 31

13 63 / 82, 82, 63

14 14, 39, 39   **15** 34

16 38   **17** 82

18 31   **19** 66

20 93

6 네 자리 수

핵심 1-1   77~78쪽

1 3329   **2** 4267

3 5248   **4** 6372

5 7553   **6** 8734

7 8, 2, 3, 4   **8** 4, 5, 3, 9

9 6, 2, 4, 5   **10** 7, 3, 9, 2

11 5, 9, 3, 6   **12** 6, 8, 5, 3

13 3, 8, 8, 7   **14** 5, 0, 7, 8

핵심 1-2   79~80쪽

1 2000, 400, 70, 5

2 5000, 백, 십, 8

3 천, 300, 40, 일

4 6000, 9, 900, 40, 5, 5

5 3, 3000, 8, 800, 십, 20, 일, 7

6 천, 9000, 백, 300, 6, 60, 4, 4

7 7, 7000, 백, 600, 십, 30, 8, 8

핵심 2   81~82쪽

1 6005, 7005, 8005

2 2786, 5786, 6786

3 3931, 4931, 7931

4 6799, 7799, 8799

5 5700, 5900, 6000

6 4562, 4662, 4762

7 6829, 7029, 7129

8 4340, 4350, 4370

9 6164, 6174, 6194

10 5761, 5771, 5801

11 2808, 2809, 2811

12 3098, 3100, 3101

13 9995, 9996, 9998, 10000

단원 마무리평가   83~84쪽

1 2579   **2** 6732

3 4650   **4** 4, 8, 2, 9

5 8, 9, 4, 5   **6** 6, 9, 0, 4

7 8, 8000   **8** 7, 7000

9 6, 600   **10** 3, 300

11 6, 60   **12** 6, 6

13 4605, 6605, 7605

14 5954, 6954, 9954

15 1930, 2130, 2230

16 4045, 4145, 4445

17 3947, 3957, 3967

18 5280, 5290, 5310

19 9452, 9454, 9455

20 8966, 8969, 8970

---

7 곱셈

핵심 **1**   87~89쪽

1 2, 4, 6, 2, 2, 2, 6

2 9, 18, 27, 9, 9, 9, 27

3 5, 10, 15, 20, 5, 5, 5, 5, 20

4 7, 14, 21, 28, 7, 7, 7, 7, 28

5 8, 16, 24, 32, 8, 8, 8, 8, 32

6 3, 6, 9, 12, 15,
    3, 3, 3, 3, 3, 15

7 4, 8, 12, 16, 20,
    4, 4, 4, 4, 4, 20

8 6, 12, 18, 24, 30,
    6, 6, 6, 6, 6, 30

핵심 **2**   90~92쪽

1 2, 2, 2, 2, 3   **2** 4, 4, 4, 2

3 3, 3, 3, 3, 3, 4

4 5, 5, 5, 5, 5, 4

5 6, 6, 6, 6, 6, 4

6 8, 8, 8, 2   **7** 9, 9, 9, 9, 3

8 2, 4   **9** 4, 3

10 5, 4   **11** 6, 3

12 4, 6   **13** 8, 2

핵심 **3**   93~95쪽

1 3, 2, 6, 3, 2, 6

2 2, 4, 8, 2, 4, 8

3 4, 3, 12, 4, 3, 12

4 5, 2, 10, 5, 2, 10

5 3, 4, 12, 3, 4, 12

6 6, 3, 18, 6, 3, 18

7 5, 4, 20, 5, 4, 20

8 2, 3, 6   **9** 3, 5, 15

10 6, 4, 24   **11** 5, 6, 30

12 8, 4, 32 **13** 7, 6, 42

14 9, 5, 45

16 8, 2, 8 **17** 15, 3, 15

18 12, 3, 4, 12 **19** 18, 6, 3, 18

20 16, 8, 2, 16

핵심 4　96~98쪽

1 3 **2** 4

3 2 **4** 6, 3, 6

5 6, 2, 6 **6** 3, 12, 3, 12

7 2, 10, 2, 10 **8** 9, 3, 9

9 8, 4, 8 **10** 12, 3, 12

11 14, 2, 14 **12** 12, 2, 12

13 12, 4, 12 **14** 15, 5, 3, 15

15 16, 4, 4, 16 **16** 16, 8, 2, 16

17 18, 6, 3, 18

단원 마무리평가　99~100쪽

1 2, 4, 6, 8, 2, 2, 2, 2, 8

2 3, 6, 9, 3, 3, 3, 9

3 4, 4, 4, 4, 3 **4** 6, 6, 6, 2

5 3, 4 **6** 4, 4

7 5, 3, 15, 5, 3, 15

8 2, 5, 10 **9** 5, 4, 20

10 6, 4, 24 **11** 7, 5, 35

12 9, 3, 27 **13** 8, 5, 40

14 12, 3, 12 **15** 6, 3, 6

8　곱셈구구

핵심 1-1　103~104쪽

1 4 **2** 6

3 8 **4** 10

5 12 **6** 18

7 4 **8** 6

9 8 **10** 10

11 12 **12** 14

13 16 **14** 18

핵심 1-2　105~106쪽

1 6 **2** 9

3 12 **4** 15

5 21 **6** 24

7 6 **8** 9

9 12 **10** 15

11 18 **12** 21

13 24 **14** 27

핵심 1-3　　107~108쪽

1 8		**2** 12	
3 16		**4** 20	
5 32		**6** 36	
7 8		**8** 12	
9 16		**10** 20	
11 24		**12** 28	
13 32		**14** 36	

핵심 1-4　　109~110쪽

1 15		**2** 20	
3 25		**4** 30	
5 35		**6** 40	
7 10		**8** 15	
9 20		**10** 25	
11 30		**12** 35	
13 40		**14** 45	

핵심 1-5　　111~112쪽

1 12		**2** 18	
3 24		**4** 30	
5 36		**6** 42	
7 12		**8** 18	
9 24		**10** 30	
11 36		**12** 42	
13 48		**14** 54	

핵심 1-6　　113~114쪽

1 14		**2** 21	
3 28		**4** 42	
5 35		**6** 49	
7 14		**8** 21	
9 28		**10** 35	
11 42		**12** 49	
13 56		**14** 63	

핵심 1-7　　115~116쪽

1 16		**2** 24	
3 32		**4** 48	
5 40		**6** 72	
7 16		**8** 24	
9 32		**10** 40	
11 48		**12** 56	
13 64		**14** 72	

핵심 1-8　　117~118쪽

1 18		**2** 27	
3 36		**4** 54	
5 45		**6** 63	
7 18		**8** 27	
9 36		**10** 45	
11 54		**12** 63	
13 72		**14** 81	

핵심 2-1
119쪽

1 1, 1, 1, 1, 1, 5

2 2 **3** 7

4 8 **5** 6

6 9 **7** 4

8 3 **9** 1

핵심 2-2
120쪽

1 0 **2** 0

3 0 **4** 0

5 0 **6** 0

7 0 **8** 0

9 0 **10** 0

단원 마무리평가
121 ~ 122쪽

1 10 **2** 12

3 16 **4** 21

5 12 **6** 30

7 28 **8** 45

9 24 **10** 14

11 48 **12** 35

13 16 **14** 54

15 32 **16** 72

17 7 **18** 5

19 0 **20** 0

Memo

2 학년이

꼭 ✓ 알아야 한

수와 연산

정답과 풀이